成田良悟
Ryohgo Narita

イラスト:ヤスダスズヒト
Illustration : Suzuhito Yasuda

デュラララ!!×12

原作：成田良悟

P11 間接章
P27 七章
犬牙相制
P119 八章
蛇の道は蛇
P201 九章
犬猿も啻ならず
デュラララ!! ×12
P277 接続章
蟷螂の斧
デザイン：鎌部善彦
イラスト：ヤスダスズヒト
FILL YOUR ENERGY

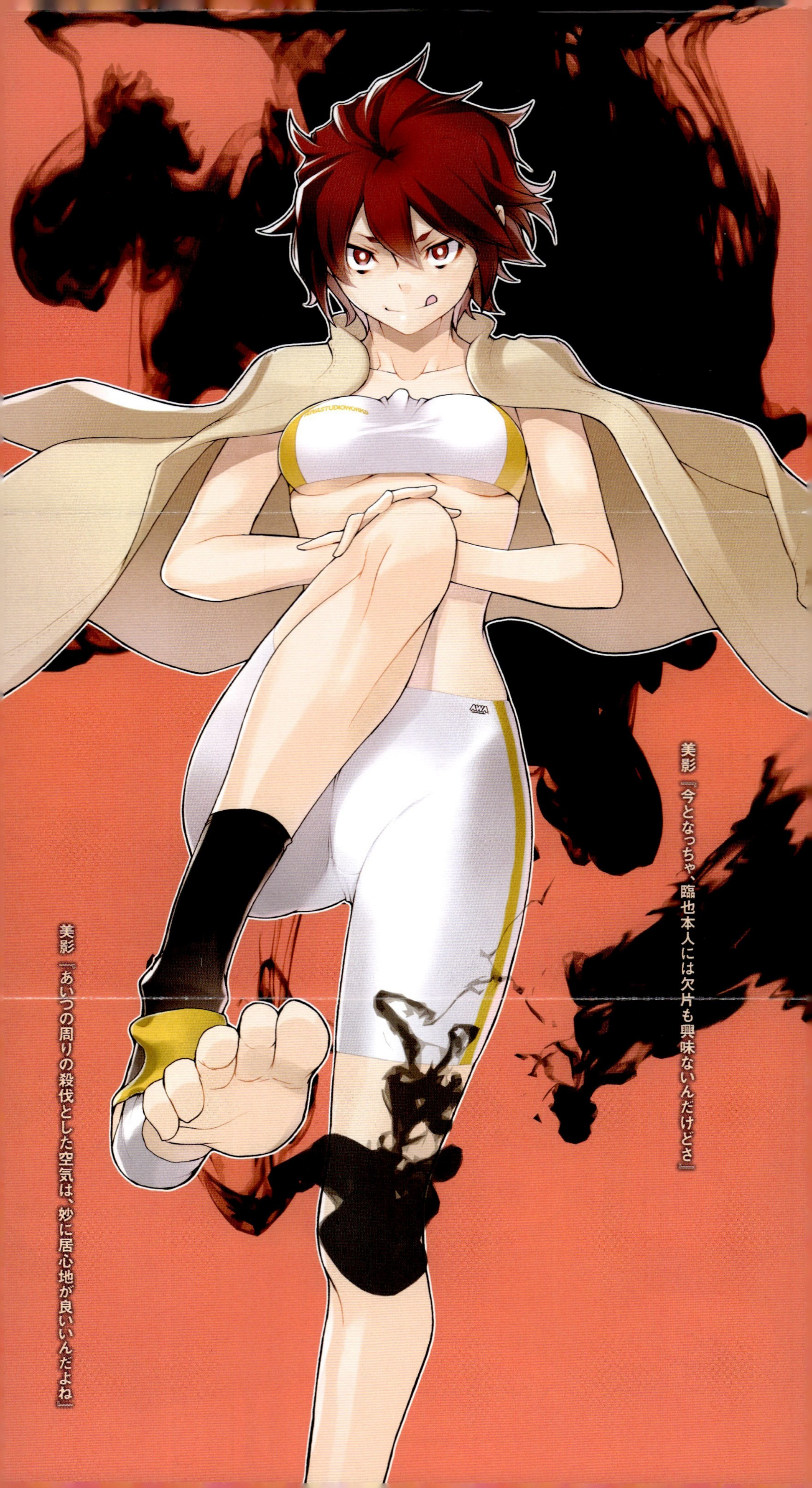
美影『今となっちゃ、臨也本人には欠片も興味ないんだけどさ』
美影『あいつの周りの殺伐とした空気は、妙に居心地が良いいんだよね』

デュラララ!!×12

間接章

九十九屋《つくもや》真一《しんいち》の『閉じられたブログ』

竜ヶ峰《りゅうがみね》帝人《みかど》の話をしよう。
そして、首無《くびな》しライダーの話もしよう。

このサイトを覗《のぞ》ける立場にいる君が、今、何を知りたいのかは解《わか》らない。
何しろ、ここの所、ダラーズ絡みで色々あった。ありすぎた。
俺《おれ》もダラーズの一員として、うちの組織《そしき》周りの情報はできる限り集めたつもりだ。
すると、どうだ。
色々な事件と人が絡み合って、複雑なあやとりになってるときた。
ああ、あやとりに喩《たと》えるとすれば、その糸が特に絡みついてる指が二つある。
竜ヶ峰帝人。そして、首無しライダーだ。

折原臨也《おりはらいざや》と鯨木《くじらぎ》かさね、この二人がよってたかって糸をわ、や、く、ち、ゃ、にするものだから、ほどけるかどうかも解《わか》らない。

『指』は他にいくつもある。とりあえず、大まかな所をあげていこうか。

まず、さっきから言ってるセルティ・ストゥルルソン。

彼女は、最も多くの事件に関わっていると言えるだろう。自分自身が中心となっている事件も含めてね。

そう、デュラハンである彼女の首が、ついに世界の表《おもて》舞台に顔を出したのさ。

彼女にとって、最も望まない形でね。

白昼堂々《はくちゅうどうどう》、池袋《いけぶくろ》の街中《まちなか》に投げ込まれた『生首《なまくび》』は、あっさりと警察に押収《おうしゅう》されてしまった。

テレビニュースの映像《えいぞう》には映らなかったものの、晒《さら》し者にされた彼女の首。

自分の事だけでも手一杯《ていっぱい》なのに、周りの環境《かんきょう》は彼女を放っておかない。

・ダラーズ幹部《かんぶ》、門田京平《かどたきょうへい》の轢《ひ》き逃げ事件。

・竜ケ峰帝人《りゅうがみねみかど》が黒沼青葉《くろぬまあおば》と組み、ダラーズ内部の『ブルースクウェア』を使って黄巾賊《こうきんぞく》に抗《こう》争《そう》を仕掛けている一件。

・さらに、そんな帝人に粟楠会《あわくすかい》の幹部である赤林《あかばやし》が接触《せっしょく》した件。

・ダラーズのメンバーであるという、『罪歌《さいか》』の使い手、贄川春奈《にえかわはるな》の件。

・矢霧製薬《やぎりせいやく》の社長である矢霧清太郎《せいたろう》が、自分を狙《ねら》っているという件。
そうしたいくつもの事件について、意図《いと》的であれ不可抗力《ふかこうりょく》であれ、結果として深く関わってしまった首無《くびな》しライダー。

味方《みかた》は少ない。というより、勝手《かって》に彼女の家に集まっただけで、味方と言える存在かどうかも疑わしいね。張間美香《はりまみか》に矢霧誠二《せいじ》、遊馬崎《ゆまさき》ウォーカー、渡草一郎《とぐさいちろう》、胡散臭《うさんくさ》いロシア人のエゴールに、その雇《やと》い主である岸谷森厳《きしたにしんげん》。彼の奥さんのエミリアは数に入れるべきかどうか……。

まあ、最終的にはセルティと確執《かくしつ》のある矢霧波江《なみえ》まで転がりこんで、全くもって、内も外も厄《やっ》介《かい》な事になっているというわけだ。

彼女の明日《あした》は、一体どこに向かっているんだろうな？


ただ、それにも増して明日が見えないのが竜ヶ峰帝人君だ。

我らがダラーズの創始者《そうししゃ》にして、『ブルースクウェア』を取り仕切っている——

ただの、高校生。

ああ、俺《おれ》はここで敢《あ》えて、竜ヶ峰帝人を『ただの高校生』と断言しようと思う。

セルティのような異形《いぎょう》ではなく、平和島静雄《へいわじましずお》のような剛力《ごうりき》も、園原杏里《そのはらあんり》のような妖刀《ようとう》もない。

正真正銘《しょうしんしょうめい》、ただの人間だ。

しかし、そんな彼が、いや、そんな彼だからこそ、セルティに負けず劣らず厄介な状況に陥《おちい》っている。
・ダラーズ幹部《かんぶ》、門田京平《かどたきょうへい》の轢《ひ》き逃げ事件。
・彼とダラーズを利用しようとする黒沼青葉《くろぬまあおば》とその一派《いっぱ》。
・折原臨也《おりはらいざや》と鯨木《くじらぎ》かさね、両方の息が掛かった四十万《しじま》という少年の加入。
・粟楠会《あわくすかい》の赤林《あかばやし》から脅《おど》しをかけられている事。
・贄川春奈《にえかわはるな》の捜索《そうさく》を、父親の贄川周二《しゅうじ》に頼まれているという事。
・黄巾賊《こうきんぞく》と抗争《こうそう》を始めてしまった事。
……他にもいくつかあるが、主《おも》だったものはこんな感じか。

ああ、言いたい事は解《わか》る。

セルティと殆《ほとん》ど同じに見えるだろう?

だが、違う。

まるで意味合《いみあ》いが違う。

セルティ・ストゥルルソンは、自分の首に関する事件ですら、巻き込まれただけだ。

運び屋という裏稼業《うらかぎょう》に身を置いているからには、自業自得《じごうじとく》の部分も少しはあるんだろうが、もう、そういう次元を超えた巻き込まれ方をしてると言っていいだろう。

一方で、竜ケ峰帝人《りゅうがみねみかど》は、半分以上が自分の蒔いた種さ。

贄川春奈の件も四十万の件も、彼は拒否《きょひ》する事はできた筈《はず》だ。適当な相づちをうっておいて、後で放り出してしまうという手もある。

だが、竜ヶ峰帝人はそれをしない。

彼は、全てを燃やしてダラーズをリセットしようとする一方で、ダラーズに縋《すが》る善良《ぜんりょう》な者を余さず助けようとしている。

善良な者。そう、善良な者だよ。少なくとも、竜ヶ峰帝人の基準ではね。

裏を知ってる俺《おれ》が教えてやればいいじゃないか、と言う奴《やつ》もいるだろう。

ああ、そうだな。

一年前までの、ネット中毒者《ちゅうどくしゃ》であり、ネットの信奉者《しんぽう》でもあった『田中太郎《たなかたろう》』君になら、色々と警告《けいこく》を出していたかもしれない。四十万には気を付けろ、贄川春奈には近づくな、とね。

だが、今の帝人君に、そんな警告は無駄《むだ》だろう。

彼はもはやネットワークを信じていない。

ダラーズも、園原杏里《そのはらあんり》も、紀田正臣《きだまさおみ》も、何もかもだ。

それも当然さ。

繋《つな》がりの起点《きてん》である自分自身を信じていないんだからね。

だから彼は燃やそうとしている。

粉々《こなごな》に砕《くだ》いて、うち捨てようとしている。

自分の今まで築き上げてきたもの、その全てをなかった事にしようとしてるわけだ。

もちろん、竜ケ峰帝人《りゅうがみねみかど》自身を含めてね。

彼が信じているものは、ただ一つ。

過去だけさ。

ダラーズが初《はつ》集会を行い、全てのネットワークが輝いて見えた頃《ころ》の幻想《げんそう》。

思い出補正《ほせい》という奴《やつ》だろう。竜ケ峰帝人の中では、人生の到達点《とうたつてん》であり、全ての起点《きてん》になっているのかもしれない。

なんて奴だろう。両親との絆《きずな》や親友との思い出よりも、初《しょ》対面の連中《れんちゅう》が集《つど》う、ダラーズの初集会なんてものを彼は自分の人生の基準《きじゅん》点に選んだわけだ。

笑い話だが笑えない。

少なくとも、俺《おれ》に笑う権利はない。


今回、俺は傍観者《ぼうかんしゃ》に徹《てっ》するしかないんだからな。

このブログに辿《たど》り着いた君なら知っていると思うが、俺は、少しばかり人より耳が早いし、色々な事を知っている。

しかし、未来までは解《わか》らない。

俺は、折原臨也《おりはらいざや》ほどではないが、人間はそこそこ好きだ。

折原臨也と違って、人間じゃない奴らも好きだ。

だからこそ、俺は傍観する。
正直な話、情報を巡らせるという形で、色々と手を出す事はできる。
できるんだが、俺にはその結果がどう巡るのか解らないんだ。
結果として、誰《だれ》かに手を貸せば、誰かが傷つくかもしれない。
池袋《いけぶくろ》の街にとって、とりかえしのつかない『何か』が起こるかもしれない。
解るだろう？
そんな危ういバランスで保たれた、薄氷《はくひょう》の上に立ってるんだよ。
セルティ・ストゥルルソンも、竜ヶ峰帝人も、彼らに関わる大勢《おおぜい》の人間もね。
糸は、もう指じゃない。それぞれの人間の首に掛かってると言っていい。
だが、そのややこしい『あやとり』も、もうすぐ終わる。
平和島《へいわじま》静雄《しずお》。
彼はもう、この糸に手をかけている。
彼が思い切り糸を引っ張った時、果たしてみんなは無事《ぶじ》で済むのかな。
誰が笑って誰が泣くのか、という話じゃない。
誰も彼もが、笑ったり泣いたりできなくなるかもしれない。
そんな状況なんだ。

詰んでいるんだよ。チェックメイトだ。

面白くなってきた、なんて折原臨也《おりはらいざや》みたいな事は言わないよ。

厄介《やっかい》な事になった、っていうのが正解だろう。

俺《おれ》の居る街は今、厄介ごとに巻き込まれているわけだ。

ただ、その厄介事《ごと》を眼《め》にできる連中《れんちゅう》は限られてる。

ビジネスや学業に精を出したり、パルコや西武《せいぶ》や東武《とうぶ》で買い物したりする――所謂《いわゆる》一つの、真《ま》っ当《とう》な『表《おもて》側』の連中《れんちゅう》。

裏のビジネスや悪行《あくぎょう》に精を出したり、夜の裏路地《ろじ》やクラブの駐車場《ちゅうしゃじょう》、うらぶれたマンションの一室でよからぬ事をしてるような――『裏側』の連中。

厄介事の糸に絡まってるのは、そのどちらでもない連中だ。

池袋《いけぶくろ》を一枚の地図としよう。その表と裏の狭間《はざま》、紙の繊維《せんい》の内側に入り込んでいるような連中が、この事件に深く深く関わってるってわけだ。

気を付けろとは言わない。ただ、覚悟《かくご》しておけよ。

地図の紙の内側が破れりゃ、表も裏もただじゃ済まないって事なんだからな。

しかし、この『あやとり』が作り出したのは、何の形なんだろうな。

不規則《ふきそく》で、複雑で、それでも結局、全て繋《つな》がっている。

俺は、これこそが『池袋の街の形だ』なんて言うつもりはない。

ただ、街を構成《こうせい》する『何か』の形であるのは確かだと思う。

この糸が燃え尽きるのか、それとも平和島静雄《へいわじましずお》の手で指……いや、首ごと引きちぎられるのか、あるいは誰《だれ》かが綺麗《きれい》に絡まりを取ってくれるのか。

俺にできる事は、ただ見届けるだけだ。

ああ、見届けてやるとも。

自分で自分を追い詰めた『ただの高校生』様が、誰をどれだけ巻き込んで、どこにどんな風《ふう》に落っこちていくのかをな。

ただの高校生、竜ケ峰帝人《りゅうがみねみかど》の物語は、多分、もうすぐ終わるんだろう。

しかし、あれだな。

不良《ふりよう》でもなんでもないただの高校生が、カラーギャングを仕切って、ヤクザや首無《くびな》しライダーと運命の糸を絡ませ合う。

まるで、都市伝説《でんせつ》みたいだな。

セルティ・ストゥルルソンは人間ではない。

俗《ぞく》に『デュラハン』と呼ばれる、スコットランドからアイルランドを居《きょ》とする妖精《ようせい》の一種であり——天命《てんめい》が近い者の住む邸宅《ていたく》に、その死期の訪れを告げて回る存在だ。

切り落とした己《おのれ》の首を脇《わき》に抱え、俗《ぞく》にコシュタ・バワーと呼ばれる首無し馬に牽《ひ》かれた二輪の馬車に乗り、死期が迫る者の家へと訪れる。うっかり戸口《とぐち》を開けようものならば、タライに満たされた血液を浴びせかけられる——そんな不吉《ふきつ》の使者《ししゃ》の代表として、バンシーと共に欧州《おうしゅう》の神話《しんわ》の中で語り継がれて来た。

一部の説では、北欧《ほくおう》神話に見られるヴァルキリーが地上に堕《お》ちた姿《すがた》とも言われているが、実際のところは彼女自身にもわからない。

知らない、というわけではない。

正確に言うならば、思い出せないのだ。

祖国《そこく》で自分の『首』を盗《ぬす》まれた彼女は、己の存在についての記憶《きおく》を欠落《けつらく》してしまったのだ。

『それ』を取り戻すために、自らの首の気配《けはい》を追い、この池袋《いけぶくろ》にやってきたのだ。
首無《くびな》し馬をバイクに、鎧《よろい》をライダースーツに変えて、何十年もこの街を彷徨《さまよ》った。
しかし結局首を奪還《だっかん》する事は叶《かな》わず、記憶《きおく》も未《いま》だに戻っていない。
首を盗《ぬす》んだ犯人も分かっている。
首を探すのを妨害《ぼうがい》した者も知っている。
だが、結果として首の行方《ゆくえ》は解《わか》らない。
セルティは、今ではそれでいいと思っている。
自分が愛する人間と、自分を受け入れてくれる人間達と共に過ごす事ができる。
これが幸せだと感じられるのならば、今の自分のままで生きていこうと。
強い決意を胸に秘《ひ》め、存在しない顔の代わりに、行動でその意志《いし》を示す首無し女。
これが——セルティ・ストゥルルソンという存在だ。

そう。
彼女はデュラハン。
セルティ・ストゥルルソンは人間では無い。
人間には、なれない。

人間も、デュラハンにはなれない。

しかし、それでも彼女は、自分なりに人間というものを理解しようとした。

様々《さまざま》なものから人間というものを学び、人間らしく生きようと努めて来たのである。

類《たぐ》い希《まれ》なる理性が彼女の『人格』を構築《こうちく》し、日本の池袋という町に生きる一つの個体として、首と戸籍《こせき》が無いという点を除き、ほぼ完璧《かんぺき》な人としての思考《しこう》を獲得《かくとく》したと言っていいだろう。


だらこそ、誰《だれ》も予測できなかった。

怒り、悲しみ、衝撃《しょうげき》、痛み。

どのような理由であれ——

記憶のみならず、理性まで失ったデュラハンが、ど、う、な、っ、てしまうのかという事を。

七章　犬牙相制

Dhurarara!! 12 Ryohgo Narita Na-9-45

新羅《しんら》のマンション

ブレーカーが落ち、部屋に暗闇《くらやみ》と静寂《せいじゃく》が訪れる瞬間《しゅんかん》。

セルティ・ストゥルルソンの心に訪れた状況は、それに良く似ていた。

鯨木《くじらぎ》かさねと名乗る『敵』が突然《とつぜん》自分達の部屋に現れ、家主《やぬし》である岸谷《きしたに》新羅と唇《くちびる》を重ね合わせた。その時点では、彼女はまだ辛《かろ》うじて人間としての理性を保っていたと言える。

突然の事に、状況を理解できずにいたというのも理由の一つではあるが——ようやく目の前の現状を理解しかけた所で、次の『状況』が眼《め》に飛び込んできた。

鯨木かさねの指先から、不自然に伸びる爪《つめ》状の刃《やいば》。

一度『それ』と同じものを見た事があるセルティは、瞬時《しゅんじ》に気付いた。

——罪歌《さいか》！

斬《き》った相手を支配し、『子』を宿す妖刀《ようとう》。

園原杏里《そのはらあんり》が所有している筈《はず》の罪歌《さいか》を、何故《なぜ》この女が持ち合わせているのか。
あるいは、罪歌とはまた別の妖刀《ようとう》なのだろうか？
疑問が浮かびかけるのと同時に——その刃《やいば》が、新羅《しんら》の肩口《かたぐち》に染《し》みこんだ。
時間が止まったかのような感覚。
この時点で既《すで》に、セルティは自分の周囲を認識《にんしき》する事ができなかった。
「……」
——……。
——……えっ？
——なんだ？　——私は何を見てる。
——夢？　——何かの冗談《じょうだん》？
——新羅がいる。　——この女は誰《だれ》だ？
——キス？　——新羅に？　——何故？
——これはなんだ？　——罪歌の持ち主？　——浮気《うわき》？　——違う。
——泥棒《どろぼう》。　——早くしないと。　——キス？　——刀？
——まずい。　——見た事がある。　——罪歌。　——違うものに。
——新羅が。　——支配される。　——まさか。　——新羅は大丈夫《だいじょうぶ》な筈。
——信じてる。　——だからなんだ？　——新羅。　——やめろ。

――待て。　――新羅は。　――新羅を。　――新羅が。　――嘘《うそ》だ、嫌《いや》だ。

――新羅。　――新羅　――嘘だ

――嫌だ　――新羅　――待ってくれ

――新羅　――新羅　――新羅　新羅

――どうして　新羅が　私は　新羅と　新羅が　誰　誰がこんな

――嫌　嫌だ　新羅　好きなのに

――新羅　違う　新羅　間違い　認めない　新羅　待って　新羅　嘘だ　許さない　やめろ　いますぐそんなことはやめて刀を新羅から抜けやめろ離せどうして私の身体《からだ》は動かない新羅新羅新羅新羅逃げろ逃げろ逃げろ逃げて逃げて私は動け動け新羅逃げてやめて嫌だ嫌だ嫌だ駄目《だめ》だ駄目だ新羅嫌だ新羅私新羅は新羅新羅が新羅好き新羅なの新羅に新羅新羅新羅愛新羅し新羅てる新羅の新羅にど新羅うして新羅新羅新羅――――

混乱した事で湧《わ》き上がる感情が、更《さら》なる混乱を呼び起こす。

見知らぬ女が新羅にキスをしたという事態で呆《ほう》けた瞬間《しゅんかん》にその新羅が刺《さ》されるという二重の衝撃《しょうげき》にあてられたのだ。

首を失ってから最大の混乱に精神を蝕《むしば》まれ、心があやふやになりかけたセルティ。

そんな彼女に、三度目の衝撃《しょうげき》が襲《おそ》いかかる。

何か行動を起こす間もなく、セルティは、新羅《しんら》の目が瞬時《しゅんじ》に赤く充血していくのを目の当たりにした。

罪歌《さいか》に刺《さ》され、赤目《あかめ》となる。

支配。罪歌の子としての
その意味を理解するのと同時に、セルティの中で、何かが弾《はじ》けた。

感情。

混乱している最中《さなか》に湧《わ》き上がった様々《さまざま》な感情が、一瞬《いっしゅん》にして最大に膨《ふく》れあがったのだ。

セルティの本能は、全てが壊《こわ》れる事を回避《かいひ》するための、緊急措置《きんきゅうそち》を開始する。

濁流《だくりゅう》の如《ごと》き感情から、記憶《きおく》や人格を護《まも》る為《ため》に、理性を身体《からだ》から切り放し——

彼女の中のブレーカーが、音もなく落ちた。

そして、彼女は、

♂♀

「お、おいおいおい！　あんた、一体何やってんだ⁉」

突然《とつぜん》現れた女の凶行《きょうこう》に、最初に声をあげたのは渡草《とぐさ》だった。

彼は隣接《りんせつ》する部屋にいたのだが、襖《ふすま》の傍《そば》に居た為《ため》、中の様子《ようす》をいち早く見る事ができたのだ。

慌《あわ》てて鯨木《くじらぎ》を新羅《しんら》から引き剝《は》がそうとするが、その動きが、不意《ふい》に止まる。

「あん……？」

目の前の空間から、影が溢れだすのを見たからだ。

「……」

その光景《こうけい》を、鯨木も視認《しにん》する。

セルティが立っていた場所に、既《すで》に彼女の姿《すがた》は無かった。

圧力に満ちた、蠢《うごめ》く影。

部屋の中に突然石油《せきゆ》が湧《わ》いた。一瞬《いっしゅん》ならば、そんな馬鹿《ばか》げた錯覚《さっかく》もできるだろう。

しかし、その気体とも液体とも判別《はんべつ》つかない黒い『影』は、寝室の中で爆発《ばくはつ》的に拡散しながら鯨木に躍《おど》りかかった。

「予想通りですね」

黒い霧《きり》が明確な敵意《てきい》を持って自分に襲《おそ》いかかって来る光景を前にしても、鯨木は冷静に呟《つぶや》く。

彼女は眼《め》を充血させたまま呆《ほう》けている新羅《しんら》をヒョイと肩に担《かつ》ぎ上げると、人間離れした挙動《きょどう》で後ろ向きに跳躍《ちょうやく》した。

そのまま渡草の横に着地《ちゃくち》し、身体《からだ》を捻《ひね》る鯨木。

更《さら》に力強く床を蹴《け》った所で、一瞬前まで自分が居た場所を、黒い塊《かたまり》の顎《アギト》が覆《おお》い尽くした。

それはまさに、顎と言うに相応《ふさわ》しかった。

地球上に存在する如何《いか》なる生物とも異なるが、確かにそれは、黒く塗り潰《つぶ》された無数の牙《きば》を伴い、空間そのものを噛《か》み砕《くだ》かんという威圧《いあつ》感を伴う『顎』なのだと、見た者達を強制的に恐《きょ》怖《うふ》の渦《うず》へと叩《たた》き込む。

鯨木と共に最初にその大顎《おおあご》を見た渡草も、騒《さわ》ぎを聞きつけて後から見た面々も、即座《そくざ》にその正体がなんであるのかは理解できなかった。

黒い影が何かを形作っている。それだけならば簡単にセルティ・ストゥルルソンを想像《そうぞう》できる筈《はず》なのに、皆の頭からは一瞬その『答え』が抜け落ちていたのである。

何しろ、その黒い塊からは、普段《ふだん》のセルティが伸ばす影から感じられるような、理性の輝きというものが欠片《かけら》も存在していなかったのだから。

鯨木は背後を振り返る事もなく、駆《か》けながら手を前に向かって差しのばす。

次の瞬間《しゅんかん》、彼女の指先からワイヤーのように細い刃《やいば》が伸び、鞭《むち》のようなしなやかさで、ベランダに続くガラス戸を円状に薙《な》いだ。

すると、金属が擦《こす》れる音が一瞬響《いっしゅんひび》いた後、ガラス戸の中央が真円《しんえん》の形で抜け落ちる。

丁度《ちょうど》人が通れるぐらいの大きさの穴を、新羅《しんら》を担《かつ》いだままスピードを落とさずに潜《くぐ》り抜け——鯨木《くじらぎ》はベランダの縁《へり》へと跳躍《ちょうやく》し、そのまま躊躇《ためら》いなく空中に飛び出した。


次の瞬間、部屋に残された者達は知る事になる。

寝室から現れた巨大《きょだい》な影の顎《あご》が、全体の中の、ほんの一部に過ぎなかったという事を。

同じような顎が寝室から数体現れたかと思うと、グルリグルリと猛烈《もうれつ》な勢いで室内を見回した。そして、ベランダから跳躍する鯨木と、その肩に担《かつ》がれた新羅の姿《すがた》を確認《かくにん》すると、一斉《いっせい》にそちらに顎を向けた後、纏《まと》まって寝室の中へと引っ込んだ。


「お、おい、なんだ今の……」

呆然《ぼうぜん》としながら、渡草《とぐさ》が寝室の中を覗《のぞ》こうとした、その刹那《せつな》——

寝室の扉《とびら》が周囲の壁ごと破壊《はかい》され、巨大な影の塊《かたまり》が飛び出した。

「ぐおわッ!?」

破壊にこそ巻き込まれなかったものの、影に押されて弾《はじ》き飛ばされる渡草。

影の塊はそのままベランダへのガラス戸を破壊し、人間離れした脚力《きゃくりょく》で宙《ちゅう》に飛び出した鯨木の背に追い縋《すが》った。

キラキラと舞うガラス片を纏い、象《ぞう》ほどもある巨大な顎と化した『影』の塊。

夜の闇《やみ》と混ざり合いながら、顎は鯨木を新羅の身体《からだ》ごと包み喰らおうとした。

しかし、一瞬早く、空中にいた鯨木の身体が加速《かそく》する。

鯨木は手から伸ばしたワイヤー状の『罪歌《さいか》』を、道路を挟んだ向かいのビルにある屋上の鉄《てっ》柵《さく》へと絡ませ、そのままウィンチの要領《ようりょう》で自らの身体を高速移動させたのだ。

スカを食わされる形となった影の塊。

そのまま道路へ落下《らっか》するかと思われたが、影の追撃《ついげき》の手を緩めなかった。

本体から十数本の影の触手《しょくしゅ》を生みだし、弩弓《どきゅう》さながらの勢いで鯨木の身体に撃《う》ち放つ。

しかし、鯨木の表情が歪《ゆが》む事はなかった。

彼女は屋上に降り立つと、そのままワイヤー状の罪歌を右手に引き納める。

絡みついていた鉄柵の一部が輪切《わぎ》りにされて床に落ち、夜の空に乾いた音を響かせた。

その音を合図として、鯨木は自分に迫る『影の触手』に右手を向けた。左肩に新羅を担いだままなので、必然的に右手しか自由になっていない。

そして、その指先から再び五本の刃を生みだし、黒い触手に向かって大きな渦《うず》を描かせた。

五本の細い刃による竜巻《たつまき》。

通常の刃《やいば》ならば、その質量を持つ影を防ぐ事など不可能だろう。

しかし、『罪歌《さいか》』は通常の刃ではない。人に魂《たましい》などというものがあるのならば、魂ごと切り裂《さ》くであろうと言われた呪《のろ》いの刃。実際、魂に近い『心』に傷をつけ、己《おのれ》の存在を染《し》みこませるというまごう事なき妖刀《ようとう》だ。

物理《ぶつり》法則を超えた質量のある影を、物理法則を超えた銀の煌《かがや》きが迎え撃《う》つ。

激しい摩擦《まさつ》音が響《ひび》き渡った次の瞬間《しゅんかん》、刃の竜巻《たつまき》は迫る触手《しょくしゅ》を全て斬《き》り払《はら》い、霧消《むしょう》させてしまった。

それでも影の本体は諦《あきら》める事無く、落下《らっか》しつつも、新たな触手を生み出しては鯨木《くじらぎ》に伸ばしていく。

鯨木はそれを全て迎撃《げいげき》しながら、やはり人間離れした速度で屋上を走り出した。

♂♀

「いてて……なんだ今の？」

割れた硝子《ガラス》がベランダ側に散乱し、蒸《む》し熱い夏の夜風が吹き込んでくる室内。

腰をさすりながら、渡草《とぐさ》が起き上がる。

今しがたの黒い塊《かたまり》は、いったい何だったのだろうか？

通常ならば、『黒く蠢《うごめ》くもの』をこの部屋の中で見た場合、誰《だれ》もが同じ者を思い浮かべる。

立体的に動く影などを扱えるのは、この場に、あるいはこの街に一人しかいないからだ。

しかし、渡草の脳《のう》は、すぐに『彼女』に関連づける事ができない。

自分が今見たものは、人の形を欠片も残していなかった。

人だけではない、あらゆる生物と異なる形状をした『影の塊』を見て、渡草は本当に未知の化《ば》け物《もの》が唐突《とうとつ》に現れたと思ってしまったのである。

普段《ふだん》見かける『影』の蠢きの中にある、感情や理性といった類《たぐい》のものが欠片《かけら》も感じられなかったからだ。

「おい、遊馬崎《ゆまさき》、一体何が……」

「おおお……おおおおお……」

渡草が眼《め》を向けると、窓の外を見ながら奇妙《きみよう》な声を上げている遊馬崎の姿《すがた》があった。

「？　どうした遊馬崎？　頭でも打ったか？」

眉《まゆ》を顰《ひそ》めながら尋《たず》ねた瞬間《しゆんかん》、遊馬崎は両腕《うで》を高々と上げ広げ、喜びの叫びを上げる。

「時代が……俺《おれ》の時代が来たっすよぉ――――ッ！」

「何がどうした!?」

「ミステリアスな眼鏡《めがね》のお姉《ねえ》さん……手から出る謎《なぞ》のワイヤー……ガラスを丸くカット……空を飛びながら黒く染まる異形《いぎよう》の民《たみ》と戦うヒロイン……！　完璧《かんぺき》っすよ！　ちょっと想像《そうぞう》してた

より年上でしたけど、ついに俺《おれ》の目の前で二次元ヒロインが新たな扉《とびら》を広げてくれたんすね！」

完全に自分の世界に入ってしまった遊馬崎《ゆまさき》は、渡草《とぐさ》を意識《いしき》しているのかそれとも独り言《ひとりごと》なのか、夜空を見上げながら高らかに叫び続ける。

「早く俺も力に覚醒《かくせい》しないと！　妹とのキスであの女の人、今は三次元という仮の姿《すがた》でしたけど、きっともうすぐ二次元になるっすよ！」

「こいつはもう駄目《だめ》だな」

遊馬崎が一旦《いったん》こうなってしまった場合、渡草にはまともに話し合える自信がない。門田《かどた》が居なければ彼を現実に引き戻す事は難しいだろうが、相乗《そうじよう》効果となる狩沢《かりさわ》がいないだけマシかと思いつつ、渡草はそれ以上会話をする事を諦《あきら》めた。

「ったく、明日《あした》は朝一で門田の旦那《だんな》の見舞いにいかなきゃなんねえってのによ」

遊馬崎が普段《ふだん》通りのノリになっているのも、門田が意識《いしき》を取り戻したというメールを狩沢から受け取ったからだ。そうでなければ流石《さすが》に遊馬崎もここまではしゃぎはしないだろう。実際の所は解《わか》らないが、少なくとも渡草はそう信じたかった。

冷静さを取り戻した所で、部屋から溢《あふ》れた物は恐らくセルティの影だろうと気付き、渡草は恐る恐る寝室を覗《のぞ》き込む。

「なあ、セルティさんよお、今のはアンタの仕業《しわざ》……」

問いかけの言葉は、途中《とちゅう》で止まった。

寝室の中には既《すで》に誰《だれ》も存在せず、ただ、セルティがいつもつけているヘルメットが転がっているだけだったのだから。

「……おい、どういう事だ？」

「セルティさん、行っちゃいましたよ」

渡草の疑問に答えたのは、割れたガラス戸から外を眺《なが》める少女、張間《はりま》美香《みか》だった。

「ああ？　どういう事だよ、嬢《じょう》ちゃん」

「今、飛び出していった黒い塊《かたまり》……あれがセルティさんですよ？」

「……」

美香の言葉を聞き、渡草は黙《だま》り込む。

もちろん、想像《そうぞう》していなかったわけではない。

だが、あまり考えたくない事でもあった。

渡草の知る首《くび》無しライダーは、外見とは裏腹《うらはら》に、渡草の知る中で門田と並んで常識《じょうしき》的で、尚《なお》かつ理知的な存在である。

今しがた見た黒い塊の中に首無しライダーらしい形など感じられなかったし、この破壊《はかい》の後にも、理性の光といったものは見当たらなかった。

「あらあら、これは一体何事が判明《はんめい》した後の祭りですのことよ？」

滅茶苦茶《めちゃくちゃ》な日本語と共にエミリアが顔を出した時には、既《すで》に窓の外にも『影』の塊《かたまり》は見えなくなってしまっていた。

渡草《とぐさ》は、割れたガラス戸から外を見つめ、とりあえず思い浮かんだ不安を口にする。

「……これ、家主《やぬし》もいなくなっちまったけど、警察来たらなんて説明すりゃいいんだ？」

♂♀

夜の闇《やみ》の中、鯨木《くじらぎ》を追う影の塊――セルティ・ストゥルルソンの追走劇《ついそう》は続いていく。

一瀉千里《いっしゃせんり》とでも言うべき勢いで、ビルの屋上から屋上へと駆《か》け巡る鯨木。

影の塊は地面に落ちる前に触手《しょくしゅ》を建築物そのものへと絡ませ、巨大《きょだい》な粘菌《ねんきん》を思わせ、それでいて肉食獣《じゅう》さながらの速度で鯨木を追い続ける。

絶え間なく伸ばされ続ける影の触手。

しかし、鞭《むち》のようにしなる刃《やいば》が、その全てを打ち払う。

『罪歌《さいか》』を日本刀《とう》以外の形状にするという荒技《あらわざ》。

普段《ふだん》のセルティならば、その事実に眼《め》を見張り、冷静に観察して対処《たいしょ》する事だろう。

しかし、今の彼女にその冷静さはない。

冷静さどころか、理性すら完全に消え失《う》せている。

そもそも、その影の塊が『セルティ・ストゥルルソン』と呼ぶべき存在かという事すらあやふやな状態だ。

セルティの意識《いしき》らしきものは欠片《かけら》も感じられず、ただ、逃亡《とうぼう》する鯨木を追うシステムと化している。

無数に撃《う》ち放たれる触手の群は、果たして鯨木を刺《さ》し貫《つらぬ》こうとしているのか、それとも肩に担《かつ》がれた新羅《しんら》を抱こうとしているのか。

追われている鯨木にも、その答えは分からない。

追いすがる影自身にも、その答えは分からない。


『影の塊』は、もはや、答えを求める理性すら消してしまっていたのだから。

♂♀

新羅のマンション

「だめだ、どこに行っちまったのか解《わか》らねえ」

割れた硝子《ガラス》を踏まぬようにしながらベランダに出た渡草《とぐさ》達だが、周囲のビルの屋上には、新《しん》羅《ら》を攫《さら》っていった謎《なぞ》の女性の姿《すがた》も、異形《いぎょう》と化したセルティの姿も見当たらなかった。

昼間ならばまだしも、今の時間では夜空に紛《まぎ》れたセルティを見つける事は至難《しなん》の業《わざ》だろう。

「あの眼鏡《めがね》の姉《ねえ》ちゃんが寝室に入ってから30秒も経《た》たないうちにあれだぜ？　何があったってんだよ全く……」

残された面子《メンツ》の中で一番常識人《じょうしきじん》に近い位置にいる渡草は、自分の目の前で起こった事を冷静に思い返す。

そして、やや非《ひ》常識な事を口にした。

「さっきの眼鏡の姉ちゃん、ちょっとルリちゃんに似てなかったか？　……いや、忘れてくれ」

口にしてから、渡草は『人攫いとルリちゃんが似てる筈《はず》などない』と頭を振った。

実際、聖辺《ひじりべ》ルリは鯨木《くじらぎ》かさねの姪《めい》なので彼の言葉は正鵠《せいこく》を射《い》ていたのだが、そんな事を知らぬ渡草は自らの感想を打ち消し、改めてベランダの縁《へり》から周囲を窺《うかが》う。

「つっても、これからどうすりゃ……」

溜息《ためいき》を吐《つ》きかけた所で、彼の言葉は中断させられる。

マンションの下方から、この世の物とは思えぬ『嘶《いなな》き』を聞いたからだ。

雷鳴《らいめい》の如《ごと》き轟音《ごうおん》が周囲に響《ひび》き渡り、夜の町に不気味《ぶきみ》に木魂《こだま》する。

そして、マンションの地下駐車場《ちゅうしゃじょう》入口から、黒い塊《かたまり》——先刻《せんこく》渡草が見た物ほどではないが、それでも人間一人の大きさをかなり上回る『影』が飛び出していくのが見えた。

街灯《がいとう》の明かりの中に黒く浮かび上がるその形を見て、渡草は眉《まゆ》を顰《ひそ》め、呟《つぶや》く。

「なんだありゃ……馬？」

スラリと長い四つ足が特徴《とくちょう》的な黒い獣《けもの》に見えるのだが、どこか奇妙《きみょう》な違和感《いわかん》を覚える。

「あっ……」

違和感の正体《しょうたい》が、『首から上がない』からだという事に気付いた瞬間《しゅんかん》、渡草はゾクリと背を震わせた。

だが、その時にはもう首無《くびな》し馬はこちらから見て奥の路地《ろじ》へと走り去っており、地響《じひび》きを思わせる嘶きだけが夜の空に響き続ける。

「何が起こってるってんだよ、畜生《ちくしょう》……」

セルティという『異形《いぎょう》』に、すっかり慣れたつもりでいた。

相変わらず横ではしゃぎ続けている遊馬崎《ゆまさき》ほどではないにしろ、セルティの事を『人間ではないが、話は通じる存在』として受け入れた自負《じふ》はある。

だが、先刻見た『影の塊』を思い出し、自分の認識《にんしき》が甘かった事を理解した。

「一体、この世界はどうなっちまうんだ……？」

思わず世界と口走った渡草だが、大袈裟《おおげさ》過ぎるとは感じていない。

彼の目に映る世界についての認識《にんしき》が、正しく、根本《こんぽん》から覆《くつがえ》されようとしていたのだから。

♂♀

都内某所《ぼうしょ》　立体駐車場《ちゅうしゃじょう》　屋上

時は、数時間ほど遡《さかのぼ》る。

セルティと同じように、様々《さまざま》な感情を爆発《ばくはつ》させた者がもう一人存在していた。

黄巾賊《こうきんぞく》のリーダーである、紀田正臣《きだまさおみ》。


キレる若者。という言葉がある。

決して良い意味では使われないが、今の正臣はまさにその言葉が相応《ふさわ》しい状況に陥《おちい》っていた。


つい数秒前まで、彼は壮絶《そうぜつ》な喧嘩《けんか》に身を投じていた。

六条千景《ろくじょうちかげ》と名乗る、埼玉《さいたま》の暴走族《ぼうそうぞく》のリーダーを務める男。

平和島静雄《へいわじましずお》には遥かに劣るものの、常人《じょうじん》離れしたそのタフネスと膂力《りょりょく》に苦戦を強いられた正臣は、『死力を尽くして』挑《いど》んだと言っていいだろう。少なくとも、正臣自身もそのつもりでいたのは確かだった。

しかし、それは正確には死力を尽くしていたわけでは無い。

死力を尽くすという事が、死を覚悟《かくご》し、正《まさ》しく命を懸《か》けて事にあたるという意味とするならば、六条千景との喧嘩において、正臣は本当の意味で死を意識《いしき》してはいなかったのだから。

千景が繰り出す凶悪《きょうあく》な一撃《いちげき》。

ビルから正臣ごと飛び降りようとする狂気《きょうき》。

『死ぬぞ馬鹿《ばか》』とは何度も思った。

しかし、死そのものを感じるにはまだ溝《みぞ》があった。

その理由は、六条千景には一切殺気《さっき》を感じなかったという事もあるのだが——今の正臣に、そんな事を分析《ぶんせき》する余裕《よゆう》は無い。


ほんの十数秒前。

屋上から落ちた六条千景がピンピンしているのを確認《かくにん》した正臣は、屋上に戻って仕切り直そうと振り返り——黄巾賊とは異なる、数十人の集団を目にする結果となった。

集団の先頭に立つのは、硬質《こうしつ》ゴムのハンマーを握る、火傷《やけど》顔の男。

「ヒヒャ……馬鹿《ばか》と煙は高い所が好きってなぁ、本当だなぁ？」

声を聞いた瞬間《しゅんかん》、脳味噌《のうみそ》よりも先に細胞《さいぼう》が思い出した。

最初に思い出したのは、過去に味わった『恐怖《きょうふ》』。

死。

自分に迫る、明確な死の予感。

正臣《まさおみ》は、その恐怖を確かに過去に感じた事があった。

行けば殺される。

自分の人生が消し飛ばされる。

考えうる限りの、あるいは想像《そうぞう》を超える苦痛を与えられた後に。

正臣が生まれて初めて感じた強い死臭《ししゅう》を前に、膝《ひざ》を屈《くっ》した思い出が蘇《よみがえ》る。

見捨ててはならない人間を、見捨ててしまった瞬間を。

「さて問題でぇす！　俺《おれ》に足を折られて、三ヶ島沙樹《みかじまさき》を見捨てたチキン野郎《やろう》は……どこのどいつでしょうか……と！　クヒヒャハハハハ！」

男が続いて下卑《げび》た言葉を口にした瞬間——一瞬《いっしゅん》、正臣の世界が暗闇《くらやみ》に閉ざされた。

しかし、セルティの様《よう》に、感情のブレーカーが落ちたわけではない。

寧《むし》ろ、数時間後に彼女に起こった変化とは、全く逆と言っていいだろう。

感情を爆発《ばくはつ》させた結果、紀田《きだ》正臣という少年の内部で、それまで落ちていた電源が全てオンに切り替えられたのだ。

人間故《ゆえ》に。

感情を捨てられぬが故に。

過去を引き摺《ず》っているが故に。

恐怖も不安も纏《まと》めて怒りへと変換し、相手の名を、ただ叫ぶ。


「泉井《いずみい》ぃぃぃいいいいッツッ！」


そして、少年は地を蹴《け》った。

本当の意味で、死力を尽くして駆《か》け出したのだ。

命を懸《か》ける覚悟《かくご》が、確かにその瞬間、心の奥底から湧《わ》き上がったのである。

同時にそれは、もう一つの覚悟が生まれた事を表していた。

命を代償《だいしょう》にして望む物は、やはり命。

激しい感情の衝動《しょうどう》は、擬似《ぎじ》的な覚悟を呼び起こしたのだ。

目の前に現れた初《しょ》対面の男を、殺してしまっても構わないと。

圧倒《あっとう》的な人数差であり、本当に殺し合いになった場合、殺される可能性が高いのは正臣《まさおみ》の方だろう。

それでも、正臣は走る。

周りが見えなくなったわけではない。

あからさまな苦難が見えた上で、昂《たか》ぶる激情がその全てを乗り越える事を選んだのだ。

正臣は、それほど背が高い方でもない。

喧嘩《けんか》慣れしている事もあり、筋肉《きんにく》は適度に引き締まっているが、相手を威圧《いあつ》するような体格には程遠《ほどとお》かった。

だが、一介《いっかい》の高校生とは思えぬ鬼気《きき》に、周囲のチンピラ達は無意識《むいしき》に身を反《そ》らせてしまう。

そんな中、正臣の悪夢《あくむ》の元凶《げんきょう》である男——泉井蘭《いずみいらん》は、サングラス越しに下卑《げび》た笑《え》みを浮かべながら、手にしたハンマーを振り上げた。


「……泉井さん、、、んだろ？　あぁ？」


そして、何の躊躇《ためら》いもなく正臣の頭《あたま》目がけて振り下ろす。

正臣はそれを紙一重《かみひとえ》で躱《かわ》し、相手の懐《ふところ》に入り込んだ。

「――――――」

言葉は、何も出てこない。

この男には、何かを語る価値《かち》も、怨嗟《えんさ》の言葉を吐き捨てる価値すら無いとばかりに――正臣は、持てる限りの力と感情、弱かった自分への後悔《こうかい》等、これまで積み上げてきたあらゆる物を拳《こぶし》の中に握り締めた。

正臣はそのまま身体《からだ》を捻《ひね》り、渾身《こんしん》の一撃《いちげき》を叩《たた》き込もうと、ほんの一瞬《いっしゅん》だけタメを作る。

ほんの一瞬の間。

泉井は、その間に正臣の体勢と位置関係に気付き、慌《あわ》てて身を仰《の》け反《ぞ》らせた。

しかし、身体を仰け反らせた程度で逃《のが》れられる間合《まあ》いではない。

がら空《あ》きになった泉井の顔面に向け、スピードと体重を最大限に乗せた正臣の拳が撃《う》ち放たれ――

♂♀

次の瞬間、激しい衝突《しょうとつ》音が立体駐車場《ちゅうしゃじょう》に響《ひび》き渡った。

過去

泉井蘭《いずみいらん》は、かつてブルースクウェアのトップであったが、決して猛者《もさ》と呼ばれる器《うつわ》の人間ではなかった。

そもそもが、弟である黒沼青葉《くろぬまあおば》のおこぼれに与《あずか》って着いた地位であり、元々器では無かったと言われてしまえば、取り立ててそれを否定する要素は無い。

ただ、結果としてブルースクウェアの勢力を拡大させたのも泉井だ。

彼は正《まさ》しく悪党《あくとう》というに相応《ふさわ》しい存在である。

喧嘩《けんか》は数に頼る男であり、カリスマ性のある弟へのコンプレックスから、常に恐怖《きょうふ》で人を縛《しば》り付けようとする嫌《きら》いがあった。

敵対《てきたい》するチームは徹底《てってい》的に潰《つぶ》し、暴力《ぼうりょく》で抑え付け、メンバーはそのまま自分の手足として扱う。そのようなやり方を門田《かどた》が度々《たびたび》咎《とが》めてきたが、聞きいれるつもりなどは毛頭《もうとう》無かった。

弟が造り上げたブルースクウェアという集団は、成長を止めれば、安寧《あんねい》に身を包んでしまえば、そこで崩壊《ほうかい》してしまうチームなのだと知っていたのである。

崩壊した時、真《ま》っ先《さき》に潰されるのは自分だという事も理解していた。

よって、彼は凶行《きょうこう》に走り続けた。暴力に狂い続けた。欲望に溺《おぼ》れ続けた。

粘《ねば》りのある『恐怖』を路地裏《ろじうら》にまとわりつかせ、下卑《げび》た色に街を染め続けたのである。

一瞬《いっしゅん》でも足を止めてしまえば、自分がその『恐怖』に押し潰されると知っていたからだ。

だからと言って、泉井蘭が、弟の手によって人生を歪《ゆが》められた被害者《ひがいしゃ》の一人という事にはならない。

何故《なぜ》ならば、彼は、チームの歩みを止める事はできなかったが、共に歩み続けたのは紛《まぎ》れもなく彼自身の意思《いし》なのだから。

本当に自分が憐《あわ》れな被害者ならば、彼はそのチームを丸ごと誰《だれ》かに引き渡し、自分は引退《いんたい》と称して物騒《ぶっそう》な色をした路地裏から離れてしまえば済む話である。

それこそ、門田あたりに全てを任せた方がチームは上手《うま》く纏《まと》まったかもしれない。自分と違って『器』のある彼ならば、チームそのものの質を変える事もできたかもしれない。

だが、泉井はそれを拒否《きょひ》した。

手にした力も、金も、権力《けんりょく》も、全ては自分のものであり、他人に渡すなど言語道断《ごんごどうだん》であると——あくまで泉井は、己《おのれ》の意思で狂気《きょうき》に奔《はし》る道を選択したのである。

彼はやはり、正しく悪党と言うに相応しい存在だったのだ。


ただ、その道に、暗雲《あんうん》が立ちこめる。

中学生の集まりが作ったという、黄色《きいろ》いバンダナが特徴《とくちょう》のカラーギャング。

黄巾賊《こうきんぞく》と呼ばれるそのチームが、何故か圧倒《あっとう》的な数を持つブルースクウェアに拮抗《きっこう》しているという事実。

その不可解《ふかかい》な現実を前にも、やはり泉井《いずみい》は止まらなかった。

徹底的《てってい》にゲリラ戦を仕掛けてきて、数で押し潰《つぶ》す事ができずに焦《あせ》りを覚え始めていた頃《ころ》——

突然接触《せっしょく》してきたとある男が、一つの情報を泉井に教えた。

紀田正臣《きだまさおみ》という黄巾賊《こうきんぞく》のリーダー。

彼には、三ヶ島沙樹《みかじまさき》という名の恋人がいるという事。

そして、彼女だけを誘《おび》き出す方法を。


不信には思ったが、藁《わら》にも縋《すが》りたかった泉井はその提案《ていあん》を受け入れた。

少女を拉致《らち》する事に見事成功し、あとは彼女を餌《えさ》に紀田正臣を潰すだけだったのだが——

結果として、彼は地位も、力も、なけなしの自由すら失う結果となる。

遊馬崎《ゆまさき》の火炎瓶《かえんびん》によって刻まれた、顔面に広がる火傷《やけど》の痕《あと》と引き替えに。


前科《ぜんか》らしい前科が無かったという事は考慮《こうりょ》されたが、実刑判決《じっけい》は免《まぬが》れず、少年刑務所《けいむしょ》に入る事となった泉井。

刑に服している間、彼は偶然《ぐうぜん》知る事となる。

ブルースクウェアと黄巾賊の抗争《こうそう》のカラクリを。

自分はただ、弟に乗せられた舞台の上で——抗争に横やりを入れてきた折原臨也《おりはらいざや》という男に踊《おど》らされていたに過ぎないのだと。

泉井はそこで、完全に自分の無力さを悟《さと》る。

そこで謙虚《けんきょ》さを覚える人間ならば、彼の物語はまた違った方向に動き出していただろう。

しかし、彼は違った。

彼は人を動かす器《うつわ》ではないが、悪党《あくとう》である事は筋金入《すじがねい》りだったのである。

一秒たりとも、虚無感《きょむかん》に囚《とら》われる事はなかった。

反省などせず、自分の将来を見つめる事もせず、ただ単純に、そして執拗《しつよう》に、他者への憎《にく》しみを募《つの》らせ続ける。

自分が悪いとは思わなかった。

それ故《ゆえ》に、泉井は運動場の石壁を殴《なぐ》る。蹴《け》りを入れ、絶叫《ぜっきょう》しながら頭突《ずつ》きまで打ち込んだ。

自傷《じしょう》行為と見なされ、独房《どくぼう》行きとなる。

ただし、自傷というのは間違いであり——

泉井は純粋《じゅんすい》に、手近《てぢか》にあった何かを壊《こわ》そうとしただけだ。

無論《むろん》、彼は平和島静雄《へいわじましずお》ではないので、刑務所の壁を壊せる筈《はず》もない。

手足の骨が砕《くだ》けようが、超《ちょう》回復が起こって静雄に近づくわけでもない。

実際、泉井はその後は大人《おとな》しく、ただ黙々《もくもく》と模範囚《もはんしゅう》として過ごした。

湧《わ》き上がり続ける世界への憎《にく》しみを身体《からだ》の中に抑え込み、自らの細胞《さいぼう》一つ一つに、じっくりと染《し》みこませながら。

特別なトレーニングをしたわけではない。

何か劇的なドラマが起こって人生観が変わったわけでも、何か超常《ちょうじょう》の力を手にしたわけでもなく、人間として粛々《しゅくしゅく》と刑期を終えていく泉井《いずみい》。

しかし、僅《わず》かな変化はあった。

変化というよりは、己《おのれ》の中に残っていたものを消し去ったと言ってもいいだろう。

彼はただ、唯一《ゆいいつ》持っていた特性を伸ばしただけだ。

壊《こわ》す事に対して、躊躇が無いという、その一点を。

結果として彼は、破壊《はかい》という行為から、完全にブレーキを取り払う事ができるようになったのである。

自分の身体が壊れる事も構わず。

再び刑務所《けいむしょ》に入るリスクなど考えず。

相手の命が失われる事すら顧《かえり》みず。

泉井蘭《らん》は、ただ破壊を行うだけだ。

平和島静雄《へいわじましずお》のように、突発的《とっぱつ》な『怒り』に任せてではなく——

身体中にまとわりつく、ありとあらゆる憎しみに身を委《ゆだ》ねて。

彼は、何に対しても容赦《ようしゃ》なく破壊の鎚《つち》を振るう事ができる。

ただ、それだけの事だった。

♂♀

現在　立体駐車場《ちゅうしゃじょう》

そして時は流れ——

泉井蘭と紀田正臣《きだまさおみ》は、ついに直接激突《げきとつ》する結果となった。

ミシミシと骨が砕《くだ》ける音が響《ひび》き、泉井と正臣、拳《こぶし》と頭部を接触《せっしょく》させたまま固まっている二人の間に、ポタポタと赤い鮮血《せんけつ》が滴《したた》り落ちた。

それは同時に、一つの事実を示している。

首の骨を折る勢いで放たれた正臣《まさおみ》の右ストレート。

それにも関わらず、泉井《いずみい》の身体《からだ》が殴《なぐ》り飛ばされなかったという事実だ。

「……」

苦痛に顔を歪《ゆが》めたのは、正臣の方だった。

彼の拳《こぶし》は、確かに泉井の頭部を捉《とら》えていた。

だが、正臣の拳を受け止めたのは、泉井の額《ひたい》の更《さら》に上、頭頂部《とうちょうぶ》近くだ。

仰《の》け反《ぞ》っていた筈《はず》の泉井の上半身《じょう》は、今は前のめりの形になっている。

彼が身を仰け反らせたのは、拳から逃《のが》れるためではなく、正臣の拳を頭《ず》突《つ》きで迎え撃《う》つ為《ため》だった。

バネ仕掛けの人形さながらの勢いで上半身を振り下ろし、正臣のパンチに己《おのれ》の頭部を叩《たた》き込んだ泉井。

正臣の拳は砕《くだ》け、裂《さ》けた肉からは赤い血が滴《したた》り落ちている。

指の骨も、ヒビや脱臼《だっきゅう》程度では済んでいるようには見えなかった。

麻痺《まひ》は一瞬《いっしゅん》にして熱感に、熱は一瞬のうちに痛みに変わり、正臣の脊髄《せきずい》を突き抜けるうちに激痛《げきつう》へと増幅《ぞうふく》された。

しかし、正臣は苦痛に顔を歪めたが、その口元と目から力は失われていない。

睨《にら》み付ける正臣に、泉井は凶悪《きょうあく》な笑《え》みを向け、掠《かす》れた声を吐き出した。

「……俺《おれ》が、弱いとでも思ったか？」

正臣は相手の問いに答えず、無言で拳を引き、そのまま前のめりになっている泉井の顔面に飛び膝蹴《ひざげ》りを叩き込もうと、力強く床を蹴《け》る。

だが、それは読まれていた。

死角から振り薙《な》がれたハンマーが、飛んできた正臣の膝頭《ひざがしら》を迎撃《げいげき》する。

「……っ！」

俗《ぞく》に『膝の皿《さら》』と呼ばれる膝蓋骨《しつがいこつ》が砕かれ、肝心《かんじん》の膝蹴りは空《くう》を切った。

なんとか着地《ちゃくち》しようとするが、膝の激痛により、意思《いし》とは関係無く倒れ込んでしまう正臣。

そんな正臣を見下ろし、泉井はニイ、と口の端《は》を歪めた。

「こんなチンピラ連中《れんちゅう》を纏《まと》めて連れてきて、一人じゃなんにもできねえ数に頼るザコだとでも思ったか？」

泉井は、倒れた正臣に躊躇《ちゅうちょ》無く蹴りを叩き込む。

正臣は身体を横にし、腕を交差《こうさ》させる事でガードした。

しかし泉井の蹴りは重く、腕の骨が軋《きし》む音が響《ひび》き、潰《つぶ》れた右拳から衝撃《しょうげき》で血が飛び散った。

逆を向いて背中で受けていれば、ダメージを減らせたかもしれない。

しかし、昂《たか》ぶり極まった正臣の感情が、二つの意味でそれを拒否《きょひ》した。

一つは、この男から目を逸《そ》らすのは非常に危険だと感じ取ったからであり――

もう一つは、この男に対して二度も背を向ける事などできはしないと思ったからだ。

「泉井《いずみい》ぃ……」

呻《うめ》きながら立ち上がる正臣《まさおみ》の尋常《じんじょう》ではない殺気《さつき》を浴びつつ、泉井はあくまで笑い続ける。

「法螺田《ほらだ》と同じぐらいのレベルだと思ったかぁ？　紀田《きだ》正臣君よぉ」

「……」

「悲劇のヒーロー気取ってアドレナリン出しゃ、なんとかなるとでも思ったかぁ？　悲劇も糞《くそ》も、全部自業自得《じごうじとく》なのによぉ！　ヒャハハハ！」

「黙《だま》れ……」

膝《ひざ》の痛みを感じているのかいないのか、ふらつきながらも立ち上がる正臣に、泉井は両手を大きく広げながら叫んだ。

「さて問題でぇす！」

その声に合わせて、周囲にいたチンピラ達の間に動きが起こる。

人の囲いが途切《とぎ》れたかと思うと、その間から一つの現実が顔を出した。

「ここでお前が大人《おとな》しく殺されなきゃ、あのザコどもはどうなってしまうんでしょうかぁ？」

正臣の目に映ったのは、元々屋上にいた黄巾賊《こうきんぞく》の仲間達。

彼らは一人一人がチンピラ二人がかりで押さえこまれており、身動きが取れない状態になっていた。

「てめぇっ……！」

絶句《ぜっく》しつつも、更《さら》に深い憎《にく》しみと殺意《さつい》を込めて泉井を睨《にら》み付ける正臣。

しかし、泉井の狙《ねら》い通り、正臣は身体《からだ》の動きをそこで止めてしまう。

それを見て、正臣の仲間が震えながら声を張り上げた。

「しょ、ショーグン！　俺《おれ》らの事はいいから、とっとと逃げろ！」

と、泉井がその少年の方にゆっくりと向き直る。

「おーおー、カッコイイねぇ。お前も悲劇のヒーロー気取りか？　あ？」

手にしたハンマーをパシリ、パシリと左右の手の中で弄《もてあそ》びながら、泉井はユラリと人質《ひとじち》の少年に歩み寄った。

「もしかしてあれか？　たかがガキの喧嘩《けんか》で殺されるこたぁ無いとか思ってるか？」

「やめろ！」

正臣が叫んで駆《か》け出そうとするが、足からガクリと力が抜け、再び膝をついてしまう。

「たかがガキの喧嘩だからあっさりと死ぬんだよ、馬鹿《ばか》が」

そして泉井は、楽しそうにハンマーを右手の中に握り締め、その腕を高々と振り上げた。

「ふざけんな泉井！　やんなら俺をやれ！　そいつらは関係ねえだろうが！」

怒りと懇願《こんがん》が入り交じった正臣の声に、泉井は動きを止め、振り返る。

「関係ない？　こんな黄色《きいろ》いバンダナして、関係ねぇわきゃねえだろ？　あぁ？」

クックッと笑い、泉井《いずみい》は左手の中指《なかゆび》で火傷《やけど》の痕《あと》をさすりながら言った。

「さっきのクイズの正解は、『どっちにしろ、こいつらは死ぬ』でしたぁ！　ヒャハハハ！　見逃《みのが》すわけねえだろ、黄巾賊《こうきんぞく》の連中《れんちゅう》をよぉ！」

「なんで……関係ねえだろうが！」

沸騰《ふっとう》していた正臣《まさおみ》の感情が、人質《ひとじち》という水をさされた事で幾分《いくぶん》落ち着きを取り戻す。

ようやく会話が成立したとばかりに、泉井は自らの首を回してゴキゴキと音を鳴らし、楽しそうに愉《たの》しそうに口の端《は》をつり上げた。

「あぁ。そうだなぁ？　俺《おれ》個人とは、もう黄巾賊なんてザコは関係ねぇかもなぁ。手前《てめえ》への恨《うら》みも、正直言って門田《かどた》や遊馬崎《ゆまさき》の野郎《やろう》に比べりゃついでみたいなもんだからよぉ」

「なら……っ！」

「だけどよぉ……俺もダラーズの一員だからなぁ？　抗争《こうそう》相手を見かけちまったからには、きちんとぶっ潰《つぶ》さなきゃよぉ……」

ダラーズ。

その単語《たんご》を聞いた瞬間《しゅんかん》、正臣の心に、更《さら》なる冷水が浴びせかけられる。

未《いま》だ収まらぬ怒りと対等になるだけの、不安と恐怖《きょうふ》が湧《わ》き上がったのだ。

泉井は手の中でハンマーをクルクルと廻《まわ》し、言葉を続ける。

「でねえと、リーダーの竜ケ峰さんに顔向けできねぇだろ？　なぁ？」

リーダーなどと言っているが、敬意《けいい》など欠片《かけら》もない、嘲《あざけ》り混じりの言葉。

竜ヶ峰《りゅうがみね》という単語《たんご》が出て来た瞬間、正臣の中にある感情のスイッチが、いくつか反射的《はんしゃ》に蹴《け》り落とされた。

「おい……今……なんつった手前」

よろけながらも立ち上がり、正臣は怒りに満ちた声で問う。

だが、その中に僅《わず》かに、自分の聞き間違いであって欲しいという懇願《こんがん》の色が混じっていた。

それに気付いているのかいないのか、泉井はサディスティックな笑《え》みを浮かべ、ハンマーで自らの肩をコンコンと叩《たた》きながら答えた。

「竜ヶ峰帝人《みかど》、俺らのリーダーがどうかしたかぁ？」

「あいつは……っ！」

「あいつは、なんだぁ？」

「……っ！」

何と返すべきか咄嗟《とっさ》に出てこない正臣に、泉井はケハケハと嗤《わら》いながら言う。

「どうしたぁ？　何ビビってんだよ。お前もとっくに知ってるんだろ？　だからまた、性懲《しょうこ》りも無く黄巾賊でお山の大将《たいしょう》やって、喧嘩《けんか》売ってんだよなぁ？」

ゴキ、と首を鳴らし、泉井は唾《つば》と共に言葉の続きを吐き捨てた。

「俺《おれ》達、ダラーズによぉ」

「お前が……ダラーズだと？」

「何か問題あるかぁ？　俺のチームは、手前《てめぇ》らと門田《かどた》のせいで解散しちまったからなぁ？　こうやって、下働きから真面目《まじめ》にやってる俺ぁエライだろ？　まったくよぉ」

冗談混《じょうだんま》じりの挑発《ちょうはつ》を続ける泉井《いずみい》だが、正臣《まさおみ》にとっては冗談では済まない。

彼の頬《ほお》に伝う冷汗《ひやあせ》は、果たして拳《こぶし》と膝《ひざ》の痛みによるものか、あるいは精神的なものだろうか。

「帝人《みかど》の奴《やつ》を……どうする気だ？」

「どうする？　さあなあ。俺も直接会った事はねぇからなぁ。だけどよ、俺がどうこうしなくても、もうどうにかなっちまってるって聞いたぜ？　イカれちまってるらしいじゃねぇか」

「ふざけんな……お前にあいつの何が……」

「解《わか》るのかって？　何も解りやしねぇよ！　ボケが！」

泉井の蹴《け》りが、膝をついていた正臣の肩に叩《たた》き込まれた。

バランスを崩《くず》して倒れ込んだ正臣を踏みつけながら、泉井は続ける。

「さて問題でぇす！　手前がお友達の事を理解してるっつーんなら、なんで竜ヶ峰《りゅうがみね》君はイカレちまったんでしょうかぁ？　そして、誰《だれ》のせいでそこにいるお友達連中《れんちゅう》は潰《つぶ》されて、誰のせいでお前の大事な彼女は両足を折られるハメになったんでしょう……かぁ？」

上機嫌《じょうきげん》な笑《え》みと共に、次々と問いを投げかける泉井。

無言のままこちらを睨《にら》み付ける正臣を見て、泉井はハンマーを高々と振りかぶる。

「正解は……全部ひっくるめて手前のせいだろうがよこの馬鹿《ばか》が！」

そして、食いしばった歯を軋《きし》ませる正臣の顔面《がんめん》めがけ、一切の躊躇《ちゅうちょ》なく振り下ろそうとした。

だが――

「はい、そこまで」

ハンマーを握る泉井の右手首が、何者かに摑《つか》み止められた。

「……あぁ？」

泉井は、サングラス越しにその何者かを睨《ね》め付ける。

すると、そこには一人の男が立っていた。

「あぁ……？　手前、さっきまでこのガキとやりあってた奴《やつ》か？」

「見てたんなら話は早いな」

男――六条千景《ろくじょうちかげ》の登場に、周りの男達がざわめき出す。

あまりにも堂々《どうどう》と輪に入り込んできたので、一瞬《いっしゅん》自分達の仲間かと勘違《かんちが》いしていたのだ。

「人の喧嘩《けんか》相手、横取りすんじゃねぇよ」

あっさりと自分の言葉を口にする六条に、泉井は眉《まゆ》を顰《ひそ》めながら問いかける。

「手前《てめえ》、さっき、あそこら辺から落ちたよな？」

屋上の一箇所《いっかしょ》をアゴで指し示す泉井《いずみい》に、六条《ろくじょう》は淡々《たんたん》と答えた。

「ああ、落ちたな」

「じゃあ、ちゃんと死んどけよ」

泉井が、視線で周囲のチンピラ達に合図を送る。

チンピラ達の何人かが、ニヤニヤと笑いながら六条の肩に手を置いた。

「なんのつもりだ、兄《にい》ちゃ……んごぁっ!?」

「悪いな。男に馴《な》れ馴《な》れしく触《さわ》られる趣味《しゅみ》ねえんだわ」

背後にいたチンピラの顔面に空《あ》いた手で裏拳《うらけん》を叩《たた》き込み、鼻血《はなぢ》を噴《ふ》き出させる六条。

「てめっ……」

別のチンピラが殴《なぐ》り掛かろうとするが、六条は、その顔面を先にひょいと掴《つか》みあげた。

親指を瞼《まぶた》の上に押し込む形で顔面をガッチリ掴んでおり、チンピラは自分の片目が男の機嫌《きげん》次第だと気付き、暴《あば》れる事もできずに全身を強ばらせた。

「はいはい、兄ちゃん達、みんな動かない動かない。お友達の目がどっかイっちゃうぜ？」

そのまま泉井の腕から手を離すと、六条はチンピラの顔面を掴んだまま、横にある柱《はしら》に何事も無かったかのようによりかかる。

「……正気か、手前？」

泉井の問いに、六条は余裕《よゆう》を見せたまま答えた。

「お前よりはまともだと思うぜ？」

「……」

その光景《こうけい》を見て、正臣《まさおみ》は完全に正気に戻る。

様々《さまざま》な冷や水を浴びせられ、つい先刻《せんこく》まで喧嘩《けんか》していた相手に助けられた事に気付き、ようやく自分がいま何処に立っているのかという事を思い出したのだ。

しかし、全ては遅かった。

いや、もし冷静なままだったとしても、この人数を相手に何ができただろうか？

少なくとも、逃げる事はできたかもしれない。

だが、その場合、捕《つか》まった仲間達はどうなる？

全ては、彼らがここに来た時点で詰みだったのだ。

自分の迂闊《うかつ》さのせいで、本来無関係である六条まで巻き込んでしまったと、正臣は今しがたまで殺し合いのような喧嘩をしていた相手のこの先を思い、痛惜《つうせき》の念すら抱いていた。

――ダメだ、いくらあいつでも、この人数じゃ……。

――それこそ、平和島静雄《へいわじましずお》でもなきゃ無理《むり》だ。

何故《なぜ》、自分はあれ程《ほど》強くないのか。

また、過去を繰《く》り返すのか。

そんな自責《じせき》の念に駆《か》られつつも、なんとか立ち上がろうとする正臣《まさおみ》。

せめて、この男だけは殴《なぐ》り飛ばさねば気が済まない。

正臣は泉井《いずみい》に対しての憎《にく》しみを再び揺り起こし、その激情だけで身体《からだ》の痛みを消し、立ち上がろうとした。

しかし、それよりも先に、六条《ろくじょう》が行動を起こした。

「つーか、お前ら正気か？　喧嘩《けんか》してた俺《おれ》が言うのもなんだが、こんなとこでリンチなんざした日にゃ、防犯カメラで速攻《そっこう》パクられんぞ？」

「あぁ？　まさか手前《てめえ》……それで俺らがビビッて引くと思ってんじゃねえだろうな？」

泉井は呆《あき》れたように言った後、肩を震わせ笑い出す。

「俺らが、カメラの線切らねぇ程《ほど》マヌケと思ったか？　故障《こしょう》に気付いて業者がこっちに来るまでに、手前ら砂《すな》にするぐらいわけねぇんだぜ？」

嘲笑《ちょうしょう》混じりの言葉だが、正臣や黄巾賊《こうきんぞく》の面子《メンツ》は感じとる。

泉井の言う『砂にする』というのは、通常の袋《ふくろ》だたきの域《いき》を超えたものだろうと。

そして、それは脅《おど》しや駆け引きなどではなく、全くの本気なのであろうと。

「あぁ……そうだな。俺はともかく、そこで倒れてる奴《やつ》と、捕《つか》まってる連中《れんちゅう》は死ぬな」

「おめえもだよ」

ドスを利かせた泉井の言葉を受け流し、六条は溜息交《ためいき》じりに呟《つぶや》いた。

「参《まい》ったね。門田《かどた》の旦那《だんな》みたいな奴が居るかと思えば、お前らみたいなクズもいるときた。ほんと、わけわかんねぇチームだな、ダラーズってのはよ」

「……門田だと？」

「知ってんのか？　お前なんかより何枚も格上《かくうえ》の奴だが、良く知ってたな？」

「……」

泉井は顔から笑《え》みを消し、ギリ、と歯を軋《きし》ませる。

そして、六条に顔面を摑《つか》まれている男を見た後、あっさりと言った。

「そいつの目は、くれてやる」

「い、泉井さん⁉」

チンピラが悲鳴を上げるが、もはや泉井の耳には届かない。

「代わりに、ここで手前は死ぬ」

「俺の命の代金が右目一つたぁ、随分《ずいぶん》とぼったくりじゃねぇか？」

肩を竦《すく》める六条に、泉井は淡々《たんたん》と告げた。

「ぼったくられる方がマヌケなんだよ」

そして、泉井は右手を上にあげ、周囲のチンピラ達に命令を下そうとする。

「構わねえ。そいつを砂に――」

だが、その言葉は途中《とちゅう》で遮《さえぎ》られた。

六条《ろくじょう》がおもむろに摑《つか》んでいた男を解放し——柱《はしら》の裏に回り込んだからだ。

「おいこら、今さら逃げられると……」

口にしながら、泉井《いずみい》は気付く。

柱の裏側から、僅《わず》かに覗《のぞ》いている赤い色に。

六条が柱の裏で何かしようとした瞬間《しゅんかん》、彼を囲んでいたチンピラのうち、柱の裏側が見える何人かが顔色を変えた。

「そいつを止めろぉ！」

叫んだ時は、既《すで》に遅い。

六条千景《ちかげ》は、柱に備え付けられていた、火災《かさい》時用の非常ベルのボタンを何の躊躇《ためら》いも無く押し込んだ。


非常ベルがけたたましく鳴り響《ひび》き、立体駐車場《ちゅうしゃじょう》の周囲を歩いていた者達が足を止める。

周囲のビルからも仕事中のサラリーマンなどが何事かと顔を出し、それまで目立たない風景の一部だった立体駐車場が、一瞬《いっしゅん》にして街の『特異点《とくいてん》』へと変貌《へんぼう》した。

「カメラしか壊《こわ》さないってのは、マヌケ過ぎだろお前」

六条の呟《つぶや》きはベルの音に遮られ、もはや泉井の鼓膜《こまく》へは届かない。

それでも泉井は、相手が自分を軽んじているのを感じ取ったのか、殺意《さつい》を爛々《らんらん》と輝かせた目で六条を睨《にら》み付けた。

「手前《てめえ》……俺を、見下《みくだ》してんだろ……」

今にも躍《おど》りかかりそうな敵意《てきい》を向けるが、これ以上は自分の望む『破壊《はかい》』は得られないと判《はん》断《だん》したのか、歯軋《はぎし》りしながら周囲の人間に手で合図を送る。

だが、非常ベルにより焦《あせ》ったのか、既にチンピラの何人かは立体駐車場から逃げ出しており、人質《ひとじち》にしていた黄巾賊《こうきんぞく》の少年達も、そのどさくさに上手《うま》く逃げ出したようだ。

彼らは即座《そくざ》に正臣《まさおみ》に駆《か》け寄り、泉井から遠ざけようと引き摺《ず》っている。

「手前……ら……手前ら……」

泉井の性格からいって、本来はそこで正臣に追い打ちをかけている所なのだが——現在の泉井は、身体《からだ》中に脂汗《あぶらあせ》を浮かべて顔を引きつらせるだけだった。

火災報知器のベルにより、遊馬崎《ゆまさき》に燃やされた時のトラウマが蘇《よみがえ》ったのである。

「泉井さん、一旦《いったん》引こうぜ！　サツが来んべよ！」

耳元で叫んだ仲間のチンピラの声に、泉井は唾《つば》を吐き捨てた。

「ちっ……運のいい野郎《やろう》だ」

心中《しんちゅう》の動揺《どうよう》を必死に内側に抑え込みながら、泉井は仲間達と共に出口に向かう。

「手前《てめぇ》、面《つら》ぁ覚えたからな……」

最後にもう一度振り返り、泉井《いずみい》は殺意《さつい》の籠《こ》もった言葉を六条《ろくじょう》に告げようとした。

だが――

六条の方を向いた筈《はず》の泉井の視界《しかい》に、二つの黒い影が見える。

それは、六条の靴《くつ》の裏だった。

右足と左足、両方綺麗《きれい》に並んだドロップキック。

何が起こってるのかを把握《はあく》する前に、泉井の胸板に両足がめり込み――

胸骨《きょうこつ》を軋《きし》ませながら物凄《ものすご》い勢いで弾《はじ》き飛ばされ、10メートルほど派手《はで》に転がる結果となった。

そのまま意識《いしき》を失った泉井を、数人のチンピラが抱えあげる。

「畜生《ちくしょう》、あいつだきゃあぶち殺せ！」

血の気の多いチンピラが十名ほど、鉄パイプやナイフなどを持って六条の方に向き直った。

「あー……相手してもいいが、俺《おれ》も警察《ポリ》はゴメンだ」

六条はそのまま踵《きびす》を返すと、正臣《まさおみ》を引き摺《ず》って戸惑《とまど》っている黄巾賊《こうきんぞく》に駆《か》け寄った。

「お前らも、とっとと逃げろ。あいつらに捕《つか》まんなよ」

「えっ？　あ、ちょ……」

戸惑う黄巾賊の目の前で、六条は正臣をヒョイと抱え上げる。

「……は？」

流石《さすが》に正臣もそれには戸惑ったようで、激痛《げきつう》に耐えながら眉《まゆ》を顰《ひそ》めた。

「その連中《れんちゅう》よか、俺が連れてった方が逃げやすいだろ？　喧嘩《けんか》の続きはまた今度だ」

非常ベルで言葉が良く聞こえないというのもあるのだろう。軽々《かるがる》と正臣を肩に担《かつ》ぎ上げた六条を見て、流石に黄巾賊達が止めに入る。

「いや、あんた何言って……あ、おい！」

そんな彼らを無視し、六条はそのままフェンス際に止まる車を踏み台とし、あっさりと塀《へい》を乗り越えてしまった。

「ちょ、嘘《うそ》だろオイ待て嘘でしょちょっと!?」

正臣が状況を理解し悲鳴を上げ、黄巾賊の面々《めんめん》も悲鳴を上げるが——

六条は躊躇《ためら》う事なく、そのまま下に向かって飛び降りた。


「ウオオオアアアアアア!?」

あまりの事に、正臣は一瞬《いっしゅん》激痛を忘れて悲鳴を上げる。

次の瞬間《しゅんかん》、想像《そうぞう》よりはるかに小さい衝撃《しょうげき》が訪れ、横方向のエネルギーが加わっている事に気が付いた。

ぶれる視界《しかい》の中で、外灯《がいとう》が激しく揺れているのが見える。

どうやら六条《ろくじょう》は、自分を抱えたまま外灯を踏み台にしたらしい。

更《さら》に次の瞬間《しゅんかん》、ボフリという鈍い音と共に、また別方向に移動する力を感じ取った。

「……え？」

自分が生きてる事を確認《かくにん》し、続いて拳《こぶし》と膝《ひざ》の激痛《げきつう》が蘇《よみがえ》る。

それに耐えながら周囲を見渡すと、周りの景色《けしき》が動いているのが見えた。

同時に、正臣《まさおみ》の身体《からだ》が固い布地《ぬのじ》の上に転がされる。

「アイテっ……」

「悪い悪い、ちょっとの間伏せとけ。警察に見つかると止められっからな」

どうやら自分が今転がっているのは、幌突《ほろつ》きトラックの屋根のようだ。

立体駐車場《ちゆうしやじよう》の屋上を見上げると、チンピラ達が呆然《ぼうぜん》とした表情でこちらを見下ろし、続いて金網《かなあみ》を悔《くや》し紛《まぎ》れに叩《たた》いたりしているのが見える。黄巾賊《こうきんぞく》の仲間達の姿《すがた》が無い所を見ると、正臣が無事着地《ぶじちやくち》したのを見た直後に逃げ出したのだろう。

彼らが上手《うま》く逃げられる事を切《せつ》に祈りつつ、正臣は仰向《あおむ》けになり、空を見ながら言った。

「俺《おれ》……生きてんのか？」

「感謝《かんしや》しろよ。その足じゃ、サツかダラーズの連中《れんちゆう》に捕《つか》まって終わりだったろ」

速度を上げていくトラックの幌に乗りながら、ニカリと笑う六条。

そして、遠ざかる駐車場を暫《しば》し見つめたまま、正臣に問いかけた。

「で、これからどうすんだ？」

♂♀

数時間後　立体駐車場

「ったく、まーたガキどもが暴《あば》れてんすかね」

立体駐車場の屋上を巡回《じゅんかい》していた数人の警官の一人が、疲れたような声をあげる。

彼らは、昼間トラブルが起きたというこの場所に巡回に来た警官だ。

一時間程《ほど》前に警察車両の襲撃《しゅうげき》事件が起きたという事で、街《まち》全体が警戒《けいかい》態勢に包まれている。

この立体駐車場は、最近は特にトラブルも起こっていなかったのだが、火災《かさい》ベルが鳴ったという通報の後、チンピラ風《ふう》の若者達が数多く目撃《もくげき》され、防犯カメラの回線が切られている事が判明《はんめい》したのだ。

立て続けに起こった事件という事で、関連性こそ薄いと思われたが、全体の巡回ルートを強化する目的で、ここの見回りも上から命じられたのである。

「葛原《くずはら》さんは知ってるんすよね、ここでカラーギャングが暴《あば》れてた頃《ころ》の事」

若い警官から問いかけられた初老《しょろう》の警官——葛原銀一郎《ぎんいちろう》が、溜息《ためいき》を吐《つ》きつつ答えた。

「まあなぁ。君は新任だから知らんだろうけど、ここは昔はしょっちゅう喧嘩《けんか》があった駐車場《ちゅうしゃじょう》でな。2年ぐらい前にピタリと無くなったんだが……切り裂《さ》き魔《ま》の事件からこっち、なんとなく嫌《いや》な空気が続いてるんだよなあ」

「まあ、首無《くびな》しライダーなんてわけわからんパフォーマーも居ますからね」

あまり多く目撃《もくげき》した事が無い為《ため》か、若い警官は首無しライダーを大道芸《だいどうげい》まがいの暴走族《ぼうそうぞく》か何かだと思っているようだ。

そんな新入りよりも遥か昔、首無しライダーが初めてこの街に現れた頃から知っている銀一郎は、難しい顔をして言葉を返す。

「うーん……まあ、なんだ。世の中にゃ、理屈《りくつ》じゃないって事はあるもんだぞ。ただのパフォーマーなら、金之助《きんのすけ》がとっくに縄《なわ》あかけてるだろうしな」

白バイ隊員である身内の名を出す銀一郎に、新米《しんまい》警官が笑いながら言った。

「やだなあ、まさか首無しライダーが本当に化《ば》け物《もの》だって言うんですか? 手品《てじな》っすよ手品」

「……バイクが馬に変身するのもか?」

「はい。知らないんすか葛原さん。アメリカの手品師《し》なんか、自由の女神《めがみ》とかなんとかかんとかビルとか消しちゃうんすよ! 日本の奴《やつ》でもほら、手からカエル出したり!」

「……そうか」

どことなく、憐《あわ》れみを籠《こ》めた目で新米警官を見る銀一郎。

「まあ、なんだ。下手《へた》に怖《こわ》がるよりゃマシか……」

「なんの話っすか？」

「詐欺《さぎ》には気を付けろよ」

「？　やだなあ、変にオカルト入ってる葛原さんこそ気を付けないと！」

そんな事を言いながら見回りを続けるが、特に変わった様子《ようす》はない。

カメラの器物破損《きぶつはそん》についても一通りの現場作業は終わっており、何事もなければここに留《とど》まる意味はないと、足早に次の巡回地点に向かおうとする警官達。

すると、奇妙《きみょう》な音が北西の方角から響《ひび》いて来た。

「……なんだ？」

若い警官が屋上に戻り、音のする方向に目をむける。

そして彼は、不気味《ぶきみ》な光景《こうけい》を目撃する結果となった。

ビルの屋上から屋上へ、時折《ときおり》壁面に何かを突《さ》き刺し、まるで蜘蛛《くも》をモチーフとしたアメコミヒーローのように跳び回る、何か大きなものを担《かつ》いだ人影《ひとかげ》。

更《さら》に、その後ろに黒い雲、あるいは雲状の『何か』が追い縋《すが》っていた。

夜の闇《やみ》なのでハッキリとは解《わか》らないが、確かに、周囲の光を全て吸い込むような黒い『何か』が存在しているのは確かだった。

その『何か』からは時折《ときおり》黒い触手《しょくしゅ》が伸び、それを、もう一つの影が手の先から伸びる銀色の棒状《ぼうじょう》物体で打ち払っているようにも見える。

奇妙《きみょう》な音はどうやら、その銀色と漆黒《しっこく》が衝突《しょうとつ》する音のようだ。

黒い影は時折触手を伸ばすのを休め、本体である塊《かたまり》が巨大《きょだい》な牙《きば》と化して人影《ひとかげ》に踊《おど》り掛かる。

しかし、人影は素早い跳躍《ちょうやく》を繰り返してそれを躱《かわ》し、若い警官はそれを見て、最近休日にプレイしたアクションゲームに似ていると思った。

「……あ？　いや、いやいや」

ハっと正気に返り、屋上のフェンスに貼《は》り付いて目を凝《こ》らす。

しかし、その時には既《すで》に、ビルとビルの死角《しかく》に入ったのか、何も見えなくなっていた。

「どうした？何の音だ？」

背後から銀一郎《ぎんいちろう》に声を掛けられ、若い警官は目頭《めがしら》を押さえ、返事をすると同時に自分自身に言い聞かせる。

「いや、その……手品師《てじなし》が来てるみたいです」

「手品師ってお前……疲れてるのか？」

「いやいや、憑《つ》かれてなんかないっすよ！　怖《こわ》い事言わないで下さい！」

「……？」

♂♀

銀一郎が本気で新米《しんまい》の体調を心配している一方で、音の発生源である鯨木《くじらぎ》かさねと『黒い塊』は尚《なお》もチェイスを続けていた。

「……時間ですね」

鯨木はぼそりと呟《つぶや》き、新羅《しんら》を担《かつ》いだまま、鋭く方向転換《てんかん》する。

そのまま別のビルに飛び移ろうとした時、背後に一瞬《いっしゅん》だけ振り向き、腰から何かペンのような物を数本取り出した。

棒状の先を器用《きよう》に纏《まと》めて捻《ひね》り『影の塊』へと放り投げる。

『影の塊』は、そんな物など眼中《がんちゅう》にないとばかりに鯨木へと踊り掛かった。

しかし、鯨木は素早く顔を前に戻し、再び跳躍を開始する。

次の瞬間《しゅんかん》――

ペン型の特製閃光弾《せんこうだん》が纏めて弾《はじ》け、夜の池袋《いけぶくろ》の一部を眩《まばゆ》い光に包み込んだ。

一瞬。

閃光《せんこう》によって『影の塊《かたまり》』が怯《ひる》んだのはほんの一瞬《いっしゅん》の事だった。

通常の人間ならば、目が眩《くら》んで動けなくなるだろうが、元々眼球《がんきゅう》を持たないセルティの視覚は人間とは異なって眩《くら》みからの回復が早く――『影の塊』と化した現在は、その回復力がどうなっているのかも判《わか》らない。

しかし、動きを止めた一瞬の間だけは、視界《しかい》を奪《うば》われた可能性はある。

何故《なぜ》なら、その一瞬の間に鯨木《くじらぎ》はビルの屋上から姿《すがた》を消し、『影の塊』が向かうべき方向を数秒間見失っていたからだ。

だが、数秒は数秒。罪歌《さいか》の本体という異形《いぎょう》の気配《けはい》を察知《さっち》しているのか、『影の塊』はすぐに動き出し、とあるビルとビルの隙間《すきま》へとその身をねじ込ませていく。

すると、その先では、器用《きよう》に壁を降りた鯨木の姿があった。

繁華街《はんかがい》からは大分《だいぶ》離れた路地《ろじ》であり、周囲に人の気配は殆《ほとん》ど無い。

だが、『影の塊』は、特殊《とくしゅ》な視界の中で確かに見た。

鯨木が、肩に担《かつ》いだ新羅《しんら》を誰かに預けている姿を。

路地の表《おもて》に止めていた車に、新羅を担ぎ入れる鯨木の協力者らしき人間。

それを見た瞬間《しゅんかん》――『影の塊』は、再び動きを止めた。

鯨木はそのまま路地の奥へ。

車はそのまま路地から離れる形で走りだそうとしている。

この瞬間までは、ターゲットは一つだった。

しかし現在は、その対象《たいしょう》が二つに分かれてしまっている。

愛する者を傷つけ、奪い去った鯨木という女。

今や罪歌の呪《のろ》いに囚《とら》われてしまっている、岸谷《きしたに》新羅という——愛する男。

憎《にく》しみか、恋心か。

単純な二択《たく》だった。

理性を無くし、本能だけで動く怪物《かいぶつ》と化していたセルティが、ここで戸惑《とまど》いを見せたのだ。

かといって、正気を取り戻したわけではなかった。

セルティが正気だったならば、迷わず、【よし、まずは新羅を助けて身の安全を確保してから、あの女をとっちめよう】と判断《はんだん》する事だろう。

しかしながら、この状況においても彼女の心はやはりブレーカーが落ちたままであり、殆ど無意識《むいしき》といっても良い状態である。

明確な意志《いし》がなくとも、乾きが水を欲するように。

あるいは、羽虫《はむし》が火に吸い寄せられるかのように。

彼女の本能と理性の狭間《はざま》にある『何か』が、今、試されようとしていた。


そして、セルティは。

人の形すら保たず、異形《いぎょう》と化した彼女は、選択をした。

黒い影の塊《かたまり》は、勢い良く、新羅《しんら》を乗せた車に向かって蠢《うごめ》き始める。

たまたまそちらを選んだだけなのか、あるいは何度同じ状況だろうと必ずそちらを選んでいたのか、それは判断《はんだん》できない。

だが、鯨木《くじらぎ》は後者だと断定した。

異形の動向を確認《かくにん》した鯨木は、僅《わず》かに目を細め、表情を変えぬまま呟《つぶや》いた。

「そんな状態になっても、貴女《あなた》には破壊《はかい》より……憎《にく》しみよりも優先すべきものがあるのですね」

彼女の心に到来《とうらい》するのは、過去に自らが犯した罪の記憶《きおく》。

聖辺《ひじりべ》ルリ。

自分と同じ血を持ちながら、人として扱われ、人としての幸せを摑《つか》みかけていた少女。

そんな彼女に対して自分がした事と、その時の感情の流れを思い出し――

「失礼ながら、少々……」

一昔《ひと》前のロボットのようだった彼女の表情に、ほんの僅かに険《けん》の色が籠《こ》められた。

「貴女に、嫉妬を抱きました」

次の瞬間《しゅんかん》、彼女の両手から五爪《つめ》ずつ、合わせて十爪の刃《やいば》が伸び、鋼線《こうせん》状となって路地裏《ろじうら》の上に伸びていく。

ビルとビルの狭間《はざま》。

互いの壁に食い込み、反射しながら伸びていく『罪歌《さいか》』の群《むれ》が、生き物のように蠢《うごめ》き、幾何《きか》学《がく》的な軌跡《きせき》を一瞬《いっしゅん》で生み出した。

まるで網《あみ》のように細かく交差《こうさ》する『罪歌』が、異形と化したセルティの行く手を阻《はば》む。

しかし、セルティはそんな事などお構いなしに突破《とっぱ》しようとするのだが――

質量を持つ影と罪歌の刃が軋《きし》む音が響《ひび》き、火花《ひばな》と影を周囲に散らし始めた。

キチギチ、キチギチ、と不気味《ぶきみ》な音を奏《かな》でる二つの異形。

人通りの少ない路地とはいえ、音は周囲に響き渡り、近隣《きんりん》でこの音を聞いた者達の大半が『鳥か何かの断末魔《だんまつま》だろうか』と想像《そうぞう》した。

それ程《ほど》までに、人の心を不気味に震わせる音だったのである。


異形化したセルティは必死に網を抜けようとするが、今の彼女はただ、真《ま》っ直《す》ぐに新羅を乗せた車に向かおうとするだけだった。

影を細くして通り抜けられないか試みる、罪歌の持ち手である鯨木を攻撃《こうげき》する、あるいはもっと単純に、一旦《いったん》引き返して回り込む。

猿《さる》や犬でも簡単に思いつきそうな、単純な手の数々。僅かでも理性が働けばすぐに思いつくであろう道程《みちのり》すら思い至らない。

そこまで正気を失っている状態において――

彼女はただ、一人の人間を追い続ける。

岸谷新羅《きしたにしんら》という、彼女に人として生きる場所を与えた存在を。

♂♀

鯨木《くじらぎ》から猛《もう》スピードで遠ざかる車の後部座席《こうぶざせき》。

その椅子《いす》の下に転がされた、白衣《はくい》に似た寝間着姿《ねまきすがた》の男。

彼の目は、赤く充血し、朦朧《もうろう》とした表情をしている。

罪歌《さいか》に愛の呪《のろ》いを植え付けられ、『子』と化した憐《あわ》れな被害者《ひがいしゃ》――岸谷新羅。

鯨木が罪歌を通して命じたのは、『暫《しばら》く大人《おとな》しくしている事』というものだった。

まずは彼を攫《さら》う必要がある為《ため》、暴《あば》れられると厄介《やっかい》だと判断《はんだん》したのだろう。

その命令通り、新羅は攫われている間も一切暴れる事は無く、今も支配下に置かれている筈《はず》だった。

しかし――

遠ざかる路地裏《ろじうら》から、キチギチ、キチギチ、という、鳥の断末魔《だんまつま》を思わせる音が響《ひび》いて来た瞬間《しゅんかん》、彼は、薄く微笑《ほほえ》んだ。

目を赤く充血させたままで、確かに微笑みながら、彼は確かに呟《つぶや》いたのである。

「はは……ちょとつ……もうしん……って……奴《やつ》だ……ね……」

♂♀

運転席

新羅の呟きを聞いた者が、たった一人だけ存在した。

鯨木から彼の身柄《みがら》を預かり、所定の位置まで運ぶように依頼された人間である。

「……」

その呟きの意味を考えたが、運転席に座る傭兵《ようへい》――ヴァローナは、熱にでもうなされているのだろうと解釈《かいしゃく》し、それ以上は特に気にしなかった。

――私は今、何を運ばされているのだろうか。

彼女は現在、澱切陣内《よどぎりじんない》の秘書《ひしょ》であった鯨木に雇《やと》われている身の上だ。

何故《なぜ》澱切ではなく彼女単体《たんたい》で依頼に来たのかは解《わか》らないが、依頼された仕事は、澱切の仕事よりも危険な領域《りょういき》に自分を踏み込ませる。

一つは、『警察車両が運搬《うんぱん》している銀色のケースを奪《うば》え』という、日本の国家権力《けんりょく》そのものを明確に敵に回す仕事。もう一つは、現在行っている、化《ば》け物《もの》相手の人攫《ひとさら》いだ。路地裏《ろじうら》からこちらに向かってはみ出しかけている『影の塊《かたまり》』の正体は、なんとなく彼女にも想像《そうぞう》できる。

スローンが居れば、『怪物《かいぶつ》を敵に回すのは危険だ』と助言をしてきたかもしれない。

だが、ブレーキ役である相棒《あいぼう》は、もう彼女の隣《となり》にはいなかった。

——目が異様《いよう》に充血していたけれど、何かのウイルスに感染《かんせん》しているのではなかろうか？

そんな事を一瞬警戒《いっしゅんけいかい》したが、肝心《かんじん》の依頼人がその男を肩に担《かつ》いで来た為《ため》、ヴァローナはとりあえずその可能性を頭から消す。

スローンが居れば、『待て、疑問がある。もしかしたらその依頼人の女は既《すで》にワクチンを投《と》与《よ》済みなんじゃあないのか？　気になって夜も眠れない』と言って来たかもしれない。

だが、やはり彼女の隣には誰《だれ》もいない。

隣には、誰もいない。

その事実が、ヴァローナに奇妙《きみょう》な孤独《こどく》感を湧《わ》き上がらせる。

今までも単独で仕事にあたる事は多々《たた》あった。しかし、そういう仕事だと割り切っていた為、特に寂寞《せきばく》に囚《とら》われる事はなかった。

現在の彼女が孤独に違和感《いわかん》を覚える理由は、スローンの他にも、隣にいるべき存在が思い出されるようになったからだ。

日本にいる間の仮初《かりそ》めの仕事として始めた、債権《さいけん》回収の仕事。

どうやらグレーゾーンをやや通り越してしまっている仕事のようだったが、それまで真《ま》っ黒《くろ》な場所にいたヴァローナには関係の無い事だった。

そんな場所で彼女が手に入れたものは、スローンとはまた違った形の人間関係である。

平和島《へいわじま》静雄《しずお》。

かつて本気で殺そうとした相手であり、壊《こわ》せなかった相手であり、ヴァローナ自身の価値観《かちかん》を壊した男。

その上司《じょうし》であるトムや、会社の面々《めんめん》も含め——ヴァローナは、静雄という人間を通して、初めて自分の知らない世界と強く繋《つな》がりを持ったのである。


ヴァローナという女は、人間を愛した事がない。

恐らくは、自分自身さえも愛してはいないだろう。

ただ、彼女は愛を知識として知っているだけだ。

愛などというものが自分の人生に必要なのかどうか、それを判断《はんだん》する事はできない。

彼女は知識以外には、愛という感情を実感した事がないのだから。

それは、今でも変わらない筈《はず》だった。

だがしかし、愛の代わりに覚えたものが一つある。

生きるという事そのもの、あるいは、『平和』という状況に対する充足《じゅうそく》感だ。

これまでの自分ならば、何も起こらない日々など生きていないも同然だった。

自分の命も晒《さら》し、強者《きょうしゃ》と存在の削《けず》り合いをする毎日。強者を壊《こわ》したその瞬間《しゅんかん》こそ、彼女が生きていると感じられる瞬間だったのである。

ところが、あれほど彼女の心を軋《きし》ませていた渇《かわ》きが、今は全く感じなくなってしまっていた。

死んだと思っていたスローンと再会し、『温《ぬる》くなった』と指摘《してき》されたその瞬間までは。

何よりショックだったのは、そう言われた後――

口ではスローンの言葉を否定しつつ、心の奥底で、それでも良いかもしれないと思う自分に気が付いてしまった事だ。

ヴァローナは慌《あわ》ててその考えを打ち消そうとしたのだが、その隙《すき》をついて、折原臨也《おりはらいざや》という男が、彼女の心に毒薬《どくやく》を流し込む。

毒は緩やかに、しかし確実に彼女を蝕《むしば》み、屈辱《くつじょく》の記憶《きおく》を次々と脳裏《のうり》に蘇《よみがえ》らせた。

静雄《しずお》が警察に囚《とら》われていた事も相まって、彼女は少しずつ『昔の自分』を取り戻し、こうして鯨木《くじらぎ》の仕事を引き受けたのである。

警察車両を襲《おそ》った時は、運搬《うんぱん》していた警察関係者を殺しこそしなかったものの、強さのみを追い求める高揚感《こうようかん》を取り戻す事ができた。

だが、その直後に、高揚感は打ち消される事になる。


――「おい、お前……ヴァ、ア、ロ、ー、ナ、だろ？」


たまたまその場に居合わせた平和島《へいわじま》静雄に正体を看破《かんぱ》された時、ヴァローナは一瞬《いっしゅん》、世界の時間が止まってしまったように感じた。

何故《なぜ》そう感じたのかは解《わか》らない。

ただ、絶望や恐怖《きょうふ》、不安を混ぜ合わせたような感情が湧き上《わ》がってきた事は覚えている。

湧き上がる感情を打ち消すべく、彼女は静雄に何も応《こた》えず、黙《だま》ってその場を走り去った。

走り去る他に、何もする事ができなかったのである。


そして、現在に到るまでの間――途轍《とてつ》も無い喪失感《そうしつかん》を味わいながら、彼女はようやく自分の感情を理解した。

やはり、自分はスローンの言う通り、この国の色に染まってしまっていたようだと。

壊そうと決めた相手である筈の平和島静雄と過ごした、今までとは違う日々。

命を懸《か》ける事もない安寧《あんねい》とした毎日の中に、強者《きょうしゃ》と殺し合う時とは別種の幸せを感じてしまっていたのだ。

――そうか。

――私は怖《おそ》れているのだ。今の日々を失う事を。

しかし、鯨木《くじらぎ》の依頼をこなし、彼女は思う。

命を晒《さら》して強者と戦い、危険に身を置く日々。

こちらにも、確かに自分は喜びを感じているのだと。

自分がどういう人間であるのかを再確認《かくにん》し、ヴァローナは確信する。

平和な国で、緩やかな幸せに包まれて生きる資格など、自分にはないのだろうと。

――ああ。

――父《とう》さん達と仕事をした頃《ころ》が、私にとって一番いい時期だったのかもしれない。

武器《ぶき》商社の幹部《かんぶ》である父親のことを思い出し、憎《にく》しみと郷愁《きょうしゅう》が交互《こうご》に湧《わ》き上がった。

何もかも捨てきれない。割り切れない。

こんな自分のどこが強いというのか?

本当に、自分は強者と戦う資格などあったのか?

今さらながら、ヴァローナは自分自身に疑問を感じ始めていた。

だが、今さら止まる事などできはしない。

平和島《へいわじま》静雄《しずお》に自分の正体を知られた今となっては、もう、戻るべき平和な日常は消え失《う》せてしまったのだから。

そんな事を考えていたヴァローナにも、キチギチ、キチギチ、という、異形《いぎょう》同士の衝突《しょうとつ》音は聞こえている。

バックミラーで、路地《ろじ》の中に僅《わず》かに蠢《うごめ》く影を確認できたが遠ざかるにつれて夜の闇《やみ》に紛《まぎ》れてしまった。

角《かど》を曲がり、完全に死角に入った所で、ヴァローナは考える。

——化《ば》け物《もの》が、普通に町中《まちなか》に出回り始めたのか？

——この世界は、どうなってしまうんだろうな。

——ああ、リンギーリン社長なら、この状況も楽しむだろうな。

ヴァローナは、混沌《こんとん》に落ちていく街の空気を感じ取りながら、どこか懐《なつ》かしい空気だと過去に耽《ひた》り始めていた。

単なる逃避《とうひ》に過ぎないと、自分でもとうに気付きながら。

古い思い出の中に、平和島静雄が居ない事をどこか寂しく思いながら。

♂♀

同時刻　池袋某所《いけぶくろぼうしょ》

平和島静雄《へいわじましずお》は、苛立《いらだ》っていた。


「おい、おい！　オッサン、アレだよなぁ？　平和島静雄って奴《やつ》？　ホンモノぉ？」

「目立つねー、そのバーテン服。カッコイイとか思っちゃってるんすか！　イケイケっすか！」

繁華街《はんかがい》から大分《だいぶ》離れた、人通りの少ない区画《くかく》。

警察から釈放《しゃくほう》された静雄に、頭の軽そうな少年達が声を掛けてくる。

「有名人なんでしょー？　稼《かせ》いでるっしょー？　俺《おれ》らに小遣《こづか》いくれるんでしょー？」

「つんとか言えよオッサン！」

声を掛けてきているのは三人ほどだが、少し離れた場所でニヤニヤしながらこちらを見ている面々《めんめん》も仲間だと考えれば、合計で十人ほどの集団となる。

街では見た事の無い顔だ。

全員自転車に乗っている所を見ると、下手《へた》すれば中学生かもしれない。

恐らくは、夏休みを利用して埼玉《さいたま》あたりから出て来ている不良《ふりょう》少年達だろう。

「……失《う》せろ」

そう呟《つぶや》くと、静雄は更《さら》に苛立ちを募《つの》らせ、舌打《したう》ちした。

──外れか。

──ノミ蟲《むし》にしろ赤目《あかめ》の奴《やつ》らにしろ、今さらこんな連中《れんちゅう》を寄越《よこ》すとは思えねぇ。

舌打ちの理由は、ふざけ半分で絡まれたからではなく、期待外れだったからだ。

ヴァローナが何故《なぜ》あのような真似《まね》をしたのかは解《わか》らない。

だが、自分を罠《わな》に嵌《は》めた折原臨也《おりはらいざや》の手駒《てごま》か、あるいは『妖刀《ようとう》』の関係者、そのいずれかが絡んでいるのだろうという事は予想できた。

もしもヴァローナの行動が全く無関係だったとしても、警察から釈放された自分を、両陣営《じんえい》がこのまま放っておくとは思えない。

彼は自分を囮《おとり》にする事で、敢《あ》えて『敵』の出方を窺《うかが》おうとしていたのだ。

ところが、早速《さっそく》自分に絡んで来たのがこのような面々である。

下手に騒《さわ》ぎを起こすのも面倒《めんどう》だと、適当にあしらおうとしたのだが──

「失せろ？　あ？　失せろってどういう意味？　俺らゆとりなんで説明して下さーい」

「池袋最強なんでしょ、おじさーん」

どうやら、平和島静雄の噂《うわさ》を御伽噺《おとぎばなし》の類《たぐい》だと思っている不良少年達が、バーテン服で歩いている男を見つけてはしゃいでいるのだろう。

「ちょ、おじさんもしかしてビビってますぅー？　顔色悪いっすよぉー？」

静雄《しずお》が手を出してこないのを見て、本当に相手が怖《おそ》れていると判断《はんだん》したらしい。

少年達は、静雄に更《さら》に顔を近づけて挑発《ちょうはつ》の言葉を投げかけ続ける。

静雄を知る街の住人達が見れば、不良《ふりょう》少年達の為《ため》に手を合わせ始めるであろう光景《こうけい》だ。

平和島《へいわじま》静雄という男は、ガンを飛ばされただけで『眼力《がんりき》で人を殺せるって知ってるか？　人にガンつけるって事は、殺されても文句《もんく》言えねえよな？』と言いだして暴《あば》れ出すような男なのだと誰もが知っているからだ。

最近は外国人の女性を連れていたりして性格が丸くなったとも噂《うわさ》されていたが、静雄の本質は一朝一夕《いっちょういっせき》で治るようなものではないという事も、彼を知る人間は嫌《いや》という程《ほど》理解していた。

だが、驚くべき事に、静雄は忍耐《にんたい》し続けていた。

普段《ふだん》の状態の静雄ならば、とっくに不良少年達は宙《ちゅう》を舞っている事だろう。

——まだ警察が俺《おれ》の事を見張ってるかもしれねえからな。ここでこいつらボコボコにして捕《つか》まったら意味がねぇ。

夕べから続けていた忍耐の効果もあり、今の静雄は導火《どうか》線《せん》の先から爆薬《ばくやく》までの間がかってなく長い状態であると言えるかもしれない。

ただし、黒幕《くろまく》が折原臨也《おりはらいざや》だった場合を想定《そうてい》して、その『爆薬』の量はとてつもない事になっているのだが。

そのまま適当に不良少年達を追い払おうとしていた静雄だが、彼らは続いて、導火線ではなく、爆薬そのものに火を近づけるような真似《まね》をした。

「大体、なんでバーテン服なんだよ。あぁ？」

少年の一人が、そう言ってバーテン服に軽く蹴《け》りを入れる。

ビキリ、と、何かが軋《きし》むような音が聞こえたが、少年達は特に気にもとめなかった。

すると、次の瞬間《しゅんかん》。

「何とか言えよコラぁぁぁあああ？　あ、ああ、あああ――――――――――…………・・・」

絡んで来た少年のうち、一人の声が上空へと遠ざかる、、、、、、。

静雄が自転車のスポークを掴《つか》み、片手で真上《まうえ》へと放り上げたのだ。

「……え？」

「あ……？」

静雄の傍《そば》にいた少年達は、仲間の一人が突然《とつぜん》消えたようにしか見えない。

一方、離れていた所で見ていた少年達は、呆然《ぼうぜん》とした目でその光景《こうけい》を見上げていた、、、。

バーテン服の男に絡んでいった仲間の一人が、ビルの五階ほどの高さまで自転車ごと放り投げられる光景を。

「あああぁあああぁあぁあああああぁあぁあぁあぁあぁあああぁ」

気の抜けた悲鳴を上げながら、空中で自転車と離れてしまい、手足をばたつかせて落ちてくる不良少年《ふりょう》。

地面に激突《げきとつ》する寸前、静雄《しずお》が少年の身体《からだ》を片腕《うで》で受け止める。

「ぐぶぇっ」

衝撃《しょうげき》はある程度吸収されたものの、やはり急停止したダメージがあるのか、道路に寝ている所を踏まれた酔《よ》っ払いのような悲鳴が少年の口から漏《も》れた。

同時に、少し離れた場所に自転車が落ち、フレームのあちこちを歪《ゆが》ませる。

「……で？　何だって？」

額《ひたい》に青筋《あおすじ》を浮かべ、静雄が不良少年達に問いかけた。

少年達の外見が明らかに子供っぽかったのが、静雄の怒りを間一髪《かんいっぱつ》で爆発《ばくはつ》させなかった理由かもしれない。だが、この先一つでも言葉を間違えば、例えランドセルを背負った小学生であろうと命を失いかねない。

少年達も本能でそれを理解し、全員が顔を青くして声を震わせ始めた。

「ま、まじ、その、サーセンっした……」

「ご、ごめんなさい。本当にごめんなさい」

「すんません！　すんません！　マジで俺《おれ》らゆとってました！」

「ゆるし……ひぁぁ、ごめっぁぁぁぁ」

悲鳴に近い謝罪《しゃざい》の声を上げながら、蜘蛛《くも》の子を散らすように逃げていく少年達。

静雄に投げられた少年は、自分の自転車を放置《ほうち》したままよろよろと駆《か》け出していた。

「おい、あのチャリ……」

静雄がその背に声をかけると、ビクリと身体を硬直《こうちょく》させた後、叫びながら逃げていく。

「持っていっていいですから許して下さいぃぃ！」

あっという間に静雄の視界《しかい》から消えて行く少年達。

彼らを見送った後、静雄は暫《しばら》くの間、目を瞑《つむ》って深《しん》呼吸を試みた。

数十秒後、ようやく顔面の青筋が消えた頃《ころ》、静雄は歪んだ自転車を見て、今度は溜息《ためいき》を口から漏らす。

「持っていけってお前……。こんな壊《こわ》れたチャリどうしろってんだ」

結局、静雄は自転車を担《かつ》いで路地《ろじ》を彷徨《うろつ》く結果となった。

道路の真《ま》ん中《なか》に置いたままにするわけにもいかないし、普段《ふだん》から放置自転車に苛立《いらだ》っている身としては、道の端《はし》などに放置するのも気が引けたのである。

適当な駐輪場《ちゅうりんじょう》にでも置いてこようと考えつつ道を歩いていたのだが、繁華《はんか》街《がい》からも離れている為《ため》、中々そのような場所は見当たらなかった。

いっそ手で丸めて不燃ゴミにしようかなど、静雄《しずお》ならではのダイナミックな解決方法を模索《もさく》していると――

【KRRRRrrrrrrrr……】

不意《ふい》に、背後から奇妙《きみょう》な音が聞こえてくる。

エンジンのトルク音と馬の嘶《いなな》きを掛け合わせたようなその『声』は、静雄にとって聞き覚えのあるものだった。

「……セルティか？」

知己《ちき》の存在の名を口にしながら振り返る静雄。

そんな彼の前に立っていたのは、一頭の黒い馬だった。

ただし、通常の馬とは明らかに違う点がある。

長い首の途中《とちゅう》から上、つまり頭部が存在せず、断面は黒い影に覆《おお》われている――

所謂《いわゆる》、『首無《くびな》しの馬』だった。

「あん？　あー……」

普通の人間ならば悲鳴を上げて逃げ出す光景《こうけい》だが、静雄は特に怖《おそ》れた様子《ようす》もなく、首無し馬を見てかけるべき言葉を探している。

「その、なんだ？　お前あれだろ？　セルティの乗ってるバイクっつーか……」

静雄の言葉を聞き、首無しの馬《コシュタ・バワー》――シューターは、嬉《うれ》しそうに尻尾《しっぽ》を振った。

「セルティはどうした？」

眉《まゆ》を顰《ひそ》めながら問う静雄に、シューターは一瞬《いっしゅん》寂しそうに首をうなだれた後、身体《からだ》を捻《ひね》って静雄に背を見せながら前足をあげる。

「……乗れって言ってんのか？」

その言葉に、シューターは再び尻尾を振った。

だが、静雄は少し考えてから、シューターの意志《いし》に応《こた》える。

「俺《おれ》、馬に乗った事ねえぞ」

固まるシューター。

少しの間の後、シューターは全身に影を纏《まと》い、己《おのれ》の身体をコンパクトに造り変えた。

静雄の前に現れたのは、漆黒《しっこく》に染まった一台のバイク。

普段《ふだん》セルティが乗っている時の姿《すがた》に変わったシューターは、どうだとばかりにエンジンを強く震わせた。

しかし――

「……悪ぃ。バイクの免許《めんきょ》もねえんだ」

シューターのエンジンが完全に停止し、冷たい空気が一人と一台の間を吹き抜ける。

再び馬の形態に戻り、落ち込んだようにうなだれるシューター。

だが、静雄《しずお》が脇《わき》に抱えている自転車に気付き、首をそちらにすり寄せる。

「ん? ああ、これか? さっき、馬鹿《ばか》っぽいガキから貰《もら》ったんだけどよ……」

すると次の瞬間《しゅんかん》、シューターの身体《からだ》から黒い影が無数に伸び、静雄の持つ壊れた自転車に絡みついた。

「おぉ?」

静雄が自転車を手放すと、シューターはそのまま自転車を自分の身体の方に引き寄せ、まるで捕食《ほしょく》するかのように体内へと取り込んでいく。

すると、シューターの身体が急速に縮まり、バイクよりも更《さら》にスリムなフォルムへと変貌《へんぼう》を遂《と》げたではないか。

通常の自転車よりは何やらゴツゴツとしているが、乗る事には何も支障《ししょう》はなさそうだ。

「おぉ……すげえな、お前」

目を見開く静雄の言葉が嬉《うれ》しいのか、シューターは軽やかなベル音を夜の町に響《ひび》かせる。

黒い自転車は独《ひと》りでに動きだし、静雄へと身を寄せた。

静雄はそんなシューターを見て、ニヤリと笑いながら頷《うなず》いた。

「ああ、大丈夫《だいじょうぶ》だ。これなら乗れるぜ」

そして、静雄がシューターに跨《また》がり、ハンドルを握った瞬間——

自転車とは思えない加速度《かそくど》で、シューターは夜の町を駆《か》け始める。

「まるでバイクだな、おい」

静雄はハンドルを握っているものの、勝手《かって》に曲がっていく為《ため》、身体を支える為だけに握っているようなものだ。

スピードを落とさぬまま曲がったりもするので、静雄の類《たぐ》い希《まれ》な身体《しんたい》能力が無ければとっくに振り落とされていた事だろう。

当然ながら静雄にシューターの言葉は分からない。

だが、全身に伝わる激しい振動からシューターの『焦《あせ》り』を感じ、これまでの状況も踏まえ、静雄は一つの結論に達した。

「……セルティに、なんかあったんだな?」

イエスと答えるように、ベル音が一度だけ響く。

身体中に夏の夜風を浴びながら、静雄は目を細め、ハンドルを強く握り込んだ。

「解《わか》った。急ごうぜ」

気合《きあ》いを入れ直しつつ、改めて静雄は思う。

——やっぱ、おかしいよなぁ。

——たまたま、とは言えないだろうよ。こうも色々《いろいろ》重なっちまうとな。

——手前《てめぇ》も当然、一枚噛《か》んでやがるんだよなぁ？

自分の周りで起きているあらゆる事件の裏側に、忌々《いまいま》しい仇敵《きゅうてき》の影を感じながら。

♂♀

同時刻《じこく》　池袋《いけぶくろ》某《ぼう》マンション内

折原臨也《おりはらいざや》は、この上なく上機嫌《じょうきげん》だった。

「随分《ずいぶん》、はしゃいでるね」

写楽美影《しゃらくみかげ》の言葉に、折原臨也は笑いながら応《こた》える。

「そう見えるかい？　これでも俺《おれ》は、冷静さだけは保ってるつもりなんだけどね」

「冷静ねぇ」

臨也が鼻唄《はなうた》を歌いながら足でリズムを取っている姿《すがた》や、時折《ときおり》将棋《しょうぎ》やチェスの駒《こま》で奇妙《きみょう》な陣取《じんと》りゲームを始める姿。果ては楽しそうにタロットカードでトランプタワーを造り上げる姿を一時間以上見せつけられた美影は、あからさまに不《ふ》機嫌な顔で告げた。

「まるで遠足《えんそく》の前の日の子供だよ。見ててイライラする」

「あれあれ？　そこは微笑《ほほえ》ましい、って言う所じゃないのかな？」

「アンタが微笑ましいなら、他の人間はみんな喜劇王《チャップリン》だね」

気だるげに皮肉《ひにく》を返すが、臨也《いざや》は肩を竦《すく》めながら美影《みかげ》に尋《たず》ねる。

「おやおや、一般人《いっぱんじん》が喜劇王レベルになるなら、当のチャップリンはどんなレベルになっちゃうのかな？　美影ちゃん、喜劇王より上の微笑ましさを表現できる語彙《ごい》あったっけ？」

すると、舌打《したう》ちをする美影に代わって、部屋の隅《すみ》に立っていた黄根《きね》が答えた。

「お前がそういう揚げ足取りをする時は、大抵《たいてい》はしゃいでる時だ」

「やだなぁ黄根さん。そんな事を言われたら、これから先の人生、人の揚げ足を取りづらくなるじゃないですか」

「心にも無い事を……」

美影は眉《まゆ》を顰《ひそ》め、改めて臨也を観察する。

確かに、彼は今朝《けさ》と比べて格段に楽しそうだ。

結局鯨木《くじらぎ》かさねは彼女のアジトに現れなかった為《ため》、一旦《いったん》臨也の借りているマンションに引き上げて来たのである。鯨木に操《あやつ》られていたと思《おぼ》しきスローンは、両手足を縛《しば》った状態で、徒橋《あだばし》と同じ部屋に監禁《かんきん》している。

だが、それだけでは、とてもはしゃげる空気にあるとは思えなかった。

それを確認《かくにん》すべく、美影は敢《あ》えて現在の状況について口にする。

「この部屋にいる人数も随分《ずいぶん》と減ったね」

部屋の中にいるのは、美影と臨也と黄根、そして『屍龍《ドラゴンゾンビ》』のメンバー数人だけだ。

確かに、ここ数日で臨也の集めたメンバーは急激に数を減らしている。

間宮愛海《まみやまなみ》はセルティの首を盗《ぬす》み出し、町中《まちなか》に投げ込んでそのまま失踪《しっそう》。

その首を護《まも》っていた筈《はず》の贄川春奈《にえかわはるな》は、そのままどの拠点《きょてん》にも戻っていない。

スローンは監禁中。

泉井蘭《いずみいらん》は、何やら昼間に怪我《けが》を負ったらしく、暫《しばら》く休養するという連絡《れんらく》があった。

人数が減るだけならばまだしも、贄川春奈の『罪歌《さいか》』の力が働かなくなったのは痛手《いたで》だと言えるだろう。何しろ平和島静雄《へいわじましずお》を訴えさせていた『ミミズ』の洗脳《せんのう》が解けたらしく、警察への訴えを取り下げてしまったとの事だ。

その一件を差し引いても、無限に戦力を増やす事のできる『罪歌』の力を失ったのは、臨也にとってても好ましく無い状況の筈だったのだが――

美影と黄根がその現状を伝えた後も、臨也は上機嫌《じょうきげん》なままだったのである。

「いったい、何がそんなに楽しいのさ」

最初は無視しようと考えていた美影だが、とうとう根負《こんま》けして問いかけた。

「何が楽しいかって？　そうだね、色々とあるんだけれど……。一番の理由は、俺《おれ》の良く知ってる人間が、俺の予想を大きく超えてくれたっていう所かな！」

「?」

「竜ヶ峰帝人《りゅうがみねみかど》君の話はしたろ?　ダラーズのボスの」

「……ああ、よく出てくる名前だね」

どうやら臨也《いざや》が気に入っている観察対象《たいしょう》らしく、彼の話をする時、臨也は大抵楽《たいてい》しげだ。

「あんた以外は、普通の高校生に見えるって言ってたけどね」

普通に話を次に流そうとした美影《みかげ》だが、そうは問屋《とんや》が卸《おろ》さない。

「そう、一見《いっけん》普通の高校生だ。だけどね、彼は俺《おれ》が思うよりもずっと危うい存在だったんだ。それに気付いてから、どうすればその危うさを引き出せるのか考え続けてきたんだけど、まったく取り越し苦労だったよ!」

「取り越し苦労?」

「ああ、そうさ!　俺が何もしなくても、帝人君は自分一人で、想像よりはるかに面白い形に、、、、、、、、、、、、、、、、、、、、、、、壊れてくれたんだ!　はしゃぎたくもなるだろう?　なるよねえ?」

想像《そうぞう》以上に吐き気がする答えが返ってきた事で、美影は眉間《みけん》に皺《しわ》を寄せた。

「……本当に、その、何て言うのかな……。やっぱり、アンタはここで殺しておいた方が世界の為《ため》なんじゃないかって思えて来たよ」

「それは否定しないよ。だけどね、俺は人間を愛しているけど、世界や社会というシステムそのものを愛しているわけじゃないんだ。だから、世界の為に死ぬのはちょっと御免《ごめん》だねぇ」

悪びれずに答える臨也に、黄根《きね》が淡々《たんたん》と話の先を促《うなが》しにかかる。

「それで、お前はその高校生をどうする気なんだ？」

「どうするって、酷《ひど》いなあ黄根さん。まるで俺が人の人生を狂わせようとしてるみたいじゃないですか」

「……」

臨也の言葉には何も返さず、黄根は無言《むごん》のまま冷めた視線を向け続けた。

「……分かりましたよ、真面目《まじめ》に答えますって。……帝人君には、自由にやらせるつもりですよ。俺は今回、初めてまともな傍観者になれそうなんですからね」

「傍観者《ぼうかんしゃ》、だと？」

「ええ、俺の目的は、この街で適当に揉《も》め事を起こす事だったんですけどねえ」

いけしゃあしゃあと物騒《ぶっそう》な事を語り始める臨也。

「最初は不良《ふりょう》同士のいざこざ、その後はカラーギャング同士の抗争《こうそう》。その次は暴力団《ぼうりょくだん》や警察も巻き込んで……どこまでやれば、首は明確な反応を示すのか、それを確かめたかったんです」

「あの妙《みょう》な生首《なまくび》の事か？」

「ええ、なんの根拠《こんきょ》も無いわけじゃなかったんですけどね。……北欧神話《ほくおうしんわ》とケルトの妖精伝承《ようせいでんしょう》を繋《つな》ぐ可能性の話とか、それの証拠《しょうこ》を見つけたとかいう話、全然興味《きょうみ》ないでしょ？」

その言葉を聞き、美影は少しの間天井《てんじょう》を仰《あお》いだ後、臨也を見つめて問いかけた。

「……ケルトってなんだ？」

「ほらね、美影《みかげ》ちゃんはそのレベルだし。無駄話《むだばなし》になるだけだからね」

「殺されたい？」

「別に殺されたくないけど？　当たり前の答えが返る質問して楽しいかい？」

ゆらりと殺気《さっき》を放つ美影をスルーし、臨也《いざや》は自分の言葉を続ける。

「規模《きぼ》の問題じゃないなら、首が反応する条件は何だろうって考えてみた。命や誇りをかけた殺し合い？　宗教戦争《しゅうきょう》における殉教者《じゅんきょうしゃ》達の魂《たましい》？　それとも人間じゃない何かと戦う事？　下手《へた》したら、赤《あか》ん坊《ぼう》がおしゃぶりを奪《うば》い合うような純粋《じゅんすい》な闘争《とうそう》で目覚めるかもしれない」

臨也はチェスのコマを手にし、指の中で弄《もてあそ》び始めた。

「今回のダラーズ内部の揉《も》め事や黄巾賊《こうきんぞく》とのいざこざも、その実験の一つのつもりだったんだけどねえ。悩める青少年達に安堵《あんど》のない生活を提供《ていきょう》して、色んな種類の啀《いが》み合いや憎《にく》しみ合い、そういうのを超えた恨《うら》みっこ無しの純粋な争い、とにかく色々なものを鍋《なべ》に放り込んでみた。まあ、文字通りごった煮《に》って奴《やつ》だね」

チェスの駒《こま》を何度か手の上で弄んだ後、絶妙《ぜつみょう》なバランスで保たれていた、タロットカードによるトランプタワーへと投げつける。

「だけど、その駒の一人に過ぎなかった竜ヶ峰帝人《りゅうがみねみかど》君が、俺《おれ》の想像《そうぞう》を超えてくれたんだ」

紙の塔《とう》は一瞬《いっしゅん》で崩《くず》れ落ち、テーブルの上に無造作《むぞうさ》に散らばった。

「彼は、強いわけじゃない。同じ年頃《としごろ》の子達と比べても、紙みたいに脆《もろ》い」

臨也は右手で『塔』のカードを拾い上げると、テーブル上に転がったチェスの駒を左手で放り投げる。

「だけどね」

次の瞬間《しゅんかん》――

臨也は右手に持ったカードで、宙《ちゅう》を軽く、しかし素早く薙《な》ぎ払う。

「今の彼は、ちょっと怖《こわ》いよ？」

再びテーブルに転がったチェスの駒は真《ま》っ二《ぷた》つに割れており、臨也はぴらぴらと塔のカードを揺らめかせた。

すると、それまで黙《だま》っていた黄根《きね》が口を開く。

「無駄《むだ》に、物を壊《こわ》すな」

「え、そういうこと言っちゃいます？」

「……駒は、大事にしろ」

含みの籠《こ》められた言葉に、臨也は軽く苦笑《くしょう》した。

「やだなあ、俺は、黄根さんも美影さんも大事にしてますよ？」

「お前は、大事なもんでも簡単に壊せる男だろ。その竜ケ峰って小僧《こぞう》もな」

「もう、彼は俺の駒じゃありませんよ。俺の方が彼の駒になりかねないし、それはそれでいいかなと思ってます。今の彼は、本当に、見てて笑いが止まらないぐらい危うい。それに合わせて、ダラーズっていう組織《そしき》そのものも、池袋《いけぶくろ》って街の火薬庫《かやくこ》になってる」

「誰《だれ》のせいでそんなになったと思ってるんだか」

美影《みかげ》の皮肉《ひにく》に、臨也《いざや》は両腕《うで》を広げて首を振る。

「誰のせいでもないさ。色々な要素が絡み合って、結果的にそうなったんだ」

「……黒幕《くろまく》なんて居ない、って言いたいのかい？」

美影の問いかけに、臨也は尚《なお》も念押《ねんお》しする。

「ああ、そうさ。誰も悪くない。強いて言うなら、彼を取り巻く色々な人間が、少しずつ悪かったってだけの話だよ。彼自身も含めてね」

これは、臨也の本心でもあった。

竜ケ峰帝人《りゅうがみねみかど》を壊《こわ》したものは、彼の『過去のダラーズ』に対する歪《ゆが》んだ愛情が原因でもあり、彼を取り巻く全ての物が原因であったと言えるだろう。

親友と向き合う事を怖《おそ》れた紀田正臣《きだまさおみ》。

第三者で在り続けようとした園原杏里《そのはらあんり》。

無垢《むく》な少年に対して、下手《へた》に『力への憧《あこが》れ』を与えてしまった平和島静雄《へいわじましずお》。

現実と幻想《げんそう》の境目《さかいめ》を曖昧《あいまい》にした首無《くびな》しライダー。

利用しようと近づいた黒沼青葉《くろぬまあおば》。

彼にダラーズを作った事に対する報《むく》いを与えず、償《つぐな》う機会《きかい》を奪《うば》った六条千景《ろくじょうちかげ》。

そして、最初に少しだけ背中を押した折原臨也《自分自身》。

一つ一つは罪ではないのかもしれない。

しかし、その積み重ねが帝人を蝕《むしば》み、ここまで堕《お》としてしまったのは事実だ。

臨也はそんな帝人の境遇《きょうぐう》を思い、想《おも》い、念《おも》い――

心の底から、嬉《うれ》しそうに笑う。

「だけど許すさ。全部俺《おれ》が許してあげようじゃないか！　神様の愛は無限だって言うけれど、人間だって愛は無限さ！　他の誰が帝人君を許さないと言おうと、俺は彼を許そう！　他の人間達も纏《まと》めて許すよ！　こんな楽しい舞台の観客になれるなら、そのぐらい安いもんさ！」

一人でテンションを上げていく臨也に引きつつ、美影は大きな溜息《ためいき》を吐《つ》き出した。

「いや、今のはアンタが黒幕なんじゃないかっていう皮肉だったんだけどね」

「へえ。美影ちゃんって、皮肉がちょっと下手だよね」

「男の顔面をぶち壊すのは得意なつもりだよ」

立ち上がりかける美影を手で制しつつ、臨也は即座《そくざ》に話の方向を修正する。

「おっと、ストップストップ。その気合《きあ》いは、もっと別の連中《れんちゅう》にぶつけてくれないかな」

「別の連中？」

「最初の予定通りさ。……そろそろ、人間じゃない人達には、ご退場《たいじょう》願おう。このショーは帝人《みかど》君という『人間』の大《おお》舞台だ。人間じゃない連中《れんちゅう》が穢《けが》していいものじゃあない」

「春奈《はるな》ちゃんもかい？」

「まさか。彼女は人間だよ。妖刀《ようとう》の呪《のろ》いに打ち勝った素晴《すば》らしい人間さ」

断言する臨也《いざや》の顔を見て、美影《みかげ》と黄根《きね》は気が付いた。

口元はそのままだが、臨也の目は、既《すで》に笑っていないという事に。

「園原杏里《そのはらあんり》に、鯨木《くじらぎ》かさね。首無《くびな》しライダーにも、今回はちょっと黙《だま》ってて貰《もら》おうか」

テーブル上から『星』や『月』、『死神《しにがみ》』のカードを取り除き、煙草《たばこ》の吸い殻《がら》が一つも入っていない、インテリアと化している灰皿《はいざら》へと放り投げていった。

「ま、問題は、シズちゃんか。ミミズちゃんが訴えを取り下げたとはいえ……まさかだよねぇ。警察の尋問《じんもん》にキレずに釈放《しゃくほう》されるなんてさ」

最後に、『力』のカードを取り出し、臨也は懐《ふところ》から取り出したライターで火を点《つ》ける。

「シズちゃんはあれだね。本気で俺《おれ》を潰《つぶ》しに来てるだろうし、必要とあれば何もかも潰していくよ。せっかく整った、帝人君を取り巻く舞台ごとね」

シズちゃん。

臨也がそう呼ぶ人間を、黄根も美影も良く知っている。

長くこの街に住んでいれば、知らない者の方が少ないだろう。

平和《へいわ》島静雄《じましずお》と折原《おりはら》臨也の殺し合いのような『追いかけっこ』は、７年ほど前まで街の風物詩《ふうぶつし》とも言える光景《こうけい》だった。

しかし、殺し合いのような、というのは正確ではない事も黄根達は知っている。

あれは紛《まぎ》れもなく殺し合いであり、互いが死なずにいる事が奇跡《きせき》のような状態なのだと。

「俺はともかく、今の街の状況を潰すだなんて……そんな人間に対する冒瀆、認めるわけにはいかないよねぇ」

燃える『力』のカードを灰皿に落とした後、他のカードを焦《こ》がしていく様《さま》を見て、臨也は楽しそうに笑った。

「ああ、今回は俺も気合い入れないと駄目《だめ》かな」

次の瞬間《しゅんかん》、折原臨也は顔から笑《え》みを完全に消す。

そして、見た者の心を凍り付かせるような冷たい目つきで、その言葉を吐き出した。

「平和島静雄には、そろそろ消えてもらわないとね」

・・・

チャットルームには誰《だれ》もいません。
チャットルームには誰もいません。
チャットルームには誰もいません。

矢霧波江《やぎりなみえ》さんが入室しました。

矢霧波江【竜ケ峰帝人《りゅうがみねみかど》。ここを見てるのか】
矢霧波江【見てるんなら、さっさと入室しなさい】
矢霧波江【来ないんなら、ここでお前の個人情報を公開する】
矢霧波江【こっちはイライラしている。待つ余裕《よゆう》はない】
矢霧波江【いいからさっさと入室しろ】

狂さんが入室されました。
参さんが入室されました。

狂【これはこれは波江《なみえ》さん。このような場所でいったい何をしていらっしゃるのですか？　誰かの紹介《しょうかい》が無ければここには入れない筈《はず》なのですけれど。もしかして私達の愚兄《ぐけい》から聞いたのでしょうか？】
参【こわいよう】
矢霧《やぎり》波江【お前達か。竜ヶ峰《りゅうがみね》を出せ】
狂【無茶《むちゃ》を言わないで下さいませ。それに、口調《くちょう》がぶっきらぼう過ぎるのではありませんか？　本名《ほんみょう》でチャットなさるならそれらしく、普段《ふだん》の口調と合わせて書くのが面白おかしく世の中を渡っていけるのではありませんか？　それに、ここで突然《とつぜん》本名をぶちまけるなど、些《いささ》か貴女《あなた》らしくないのではありませんか？　御《ご》自身だけならまだしも、別の人の本名を明かすなどと】
参【マナー違反です】
矢霧波江【黙《だま》れ】
矢霧波江【私は弟と一緒《いっしょ》に鎮静剤《ちんせいざい》を打たれて怒っている。それもこれも全部竜ヶ峰帝人《みかど》が悪い】
矢霧波江【もうややこしい事は全部いらない】
矢霧波江【臨也《いざや》もここを見てるなら来い】
矢霧波江【こんな状況は、誠二《せいじ》の為《ため》にならない】
矢霧波江【全部終わらせるから、いいから来い】
参【怖《こわ》いです】

参【助けて】

狂【なにか、よっぽど切羽詰《せっぱつ》まった事が起こっているようですね】

矢霧波江【まあいい。暫《しばら》くパソコンのこの画面は開いたままにしておく】

矢霧波江【すぐに来い】

矢霧波江【池袋《いけぶくろ》の街がどうにかなる前に】

矢霧波江【ダラーズで遊んでる場合じゃないんだ。ガキめ】

参【怖いよう】

・・・

八章　蛇の道は蛇

Durarara!! 12 Ryohgo Narita Na-9-45

夜　杏里《あんり》のアパート

「あの……何か飲みますか？」

「大丈夫《だいじょうぶ》大丈夫。そんなに気を使わなくっていいよ？」

園原《そのはら》杏里の言葉に、三ヶ島《みかじま》沙樹《さき》と名乗った少女は柔和《にゅうわ》に微笑《ほほえ》んだ。

一人《ひとり》暮らしという事を考慮《こうりょ》しても、決して広くはない杏里のアパート。

女子高生が一人暮らしという状況だが、後見人《こうけんにん》代わりの男が裏で色々と動いたせいか、特に白い目で見られる事もなかった。

客が来る事も殆《ほとん》どなく、騒音《そうおん》らしい騒音も滅多《めった》に立てない杏里は、近所の人にも特に問題視されずに過ごしてきたのである。

逆に、彼女の年代にしては友人の来訪や外出が少なすぎるという点はあったのだが、そこまで彼女の事を気に掛けている住民もいなかった。

ここに同年代の者が来たことと言えば、竜ヶ峰帝人《りゅうがみねみかど》や紀田正臣《きだまさおみ》が遊びの誘いに来た時や、贄《にえ》川春奈《かわはるな》が襲撃《しゅうげき》してきた時などだ。張間美香《はりまみか》が矢霧誠二《やぎりせいじ》に付きっきりとなってしまっている今、普通の女友達が来る事など皆無《かいむ》と言っても良いだろう。

杏里《あんり》自身、今後もそうした来客の少ない高校生活を歩むものかと思っていたが——

この日、彼女に同年代の少女の来客があった。

夜も既《すで》に更《ふ》けており、普通であれば友人を訪ねるような時間ではない。

実際、そこにいた少女は、友人ではなかった。

それどころか、見覚えすらない、この日初めて会う少女だったのである。

人違いかとも思ったが、向こうはこちらの名前を知っていた上、『紀田正臣の事で大事な話がある』などというではないか。

贄川春奈のような敵意《てきい》も感じなかったので、杏里は特に疑いもせぬまま、彼女を室内に招き入れたのである。


「ええと……紀田君の事で話があるって……」

テーブルを挟んで座る杏里と沙樹《さき》。

戸惑《とまど》った表情の杏里に対し、初対面《しょ》の相手の家に入ったというのに泰然自若《たいぜんじじゃく》とした表情を見せている沙樹。

対照的《たいしょうてき》な二人の間に、奇妙《きみょう》な空気が漂《ただよ》っている。

「じゃあ、改めて、自己紹介《しょうかい》するね。私は三ヶ島《みかじま》沙樹。急に押しかけたのに、部屋に入れてくれてありがとうね」

「あ、あの……園原《そのはら》杏里です」

ペコリと頭を下げた沙樹に、杏里は慌《あわ》てて頭を下げ返した。

すると沙樹は、緩やかな微笑《ほほえ》みを浮かべたまま、話し始める。

「こうして会うのは初めてだけど、同じ時期に、凄《すご》く近くに居たんだよ？」

「えっ」

「私ね、去年まで、ほら、そこの来良《らいら》病院に入院してたの。杏里ちゃんも、切り裂《さ》き魔《ま》に襲《おそ》われたって言って、何日か入院してたでしょう？」

「あっ……」

言われて思わず声をあげた杏里だが、病院のロビー等でも彼女を見かけた記憶《きおく》は無い。

「ええと、その、私が忘れているだけだったらごめんなさい」

「あ、違う違う。病院とかで話したってわけでもないよ。たまたま近くに居たよっていうだけ。でも、園原さんの事を知ってたっていうのは本当だよ？　園原さんが入院してた事も、私が勝《かっ》手《て》に知ってただけなの」

「?」

「紀田《きだ》君ってばさ、いっつも帝人《みかど》君か園原《そのはら》さんの話しかしないんだもん。園原さんと撮《と》った写真も、たくさん見せて貰《もら》ったよ」

「……!」

やはり、彼女が正臣《まさおみ》の関係者である事は間違いなさそうだ。そもそも正臣について話があると言うから当然なのだが、昼間に二人の『罪歌憑《さいかつ》き』と遭遇《そうぐう》した件もあり、状況を素直に受け取る事ができずにいた。

「あの……三ヶ島《みかじま》さんは、紀田君とどういう関係なんですか?」

すると沙樹《さき》は、僅《わず》かに考え込む。

「こういう時って、どう説明すればいいんだろう? 中学の時から付き合ってるフリをしてて……最近、本当に付き合う事になったって言えばいいのかな」

「付き合う……ああ、ええと……恋人同士、なんですか?」

「そう、そんな感じ」

「はあ」

気の抜けた会話。

お互いに浮世《うきよ》離れした性格の為《ため》、普通ならばピリピリとした空気が流れそうな会話も、生温《なまぬる》い霞《かすみ》に包まれているかのようだった。

「驚かないんだね」

沙樹の問いに、杏里は何事もなく答える。

「紀田君、いっつもナンパしてるから、恋人とかたくさんいるだろうなって思ってましたけど……。そういえば、初めて見ました」

杏里の言葉を聞いた沙樹は、暫《しばら》くキョトンとした後、クスリと笑いを吹き溢《こぼ》した。

「やだな、もう……。私、結構《けっこう》ピリピリするの覚悟《かくご》してたのに……」

杏里は彼女の笑いの意味が解《わか》らず、首を傾《かし》げる。

「？　どうしてですか？」

「どうしてかな。変だよね。変？　私」

「い、いえ！　そんな事はないと思います……。多分、変なのは私の方だと思います……」

噛《か》み合わない会話を噛み合わせる為に、沙樹は一つ問いかけた。

「逆に聞いてもいいかな？」

「は、はい。なんでしょう……」

恐る恐る頷《うなず》く杏里に、彼女は話の直球となる言葉を投げる。

「園原さんは、紀田君とどういう関係なの？」

「えっ」

不意《ふい》を突かれた質問。

普通の女子ならば、この状況における様々《さまざま》な人間関係を鑑《かんが》み、そうした質問が来る事は予想できてしかるべきだ。

しかしながら、杏里《あんり》は現在そうした『日常の人間関係』から薄く乖離《かいり》していた為《ため》、沙樹《さき》がここにいる事の意味すら思い至っていなかったのである。

「あ、ああ。ええと、それは……」

ようやく沙樹の質問の意味に気付き、あたふたしながら口を開いた。

「ち、違います。紀田《きだ》君は、ただの友達で……」

「本当に、『ただの』友達？」

首をゆっくり傾《かし》げながら追及《ついきゅう》する沙樹。

薄く笑う彼女の瞳《ひとみ》を見て、杏里は僅《わず》かに視線を逸《そ》らした。

沙樹の眼光は緩やかに鋭く、まるで杏里の心の裏側——『額縁《がくぶち》』の奥底にいる自分の事を覗《のぞ》き見ているようにも感じられる。

「ただの……っていうのはおかしいと思いますけど……。でも、紀田君とは、そんな……」

杏里は、尚《なお》も言い淀《よど》む。

自分の後ろめたさも無いわけではないが、それ以前に、正臣《まさおみ》の恋人と称する沙樹に、正直に
『いつも付き合ってくれと繰り返していました』と言って良いものかどうか迷っていたからだ。

「竜ヶ峰《りゅうがみね》君と一緒《いっしょ》で、私の事を助けてくれたりして……その……」

自分でもなんと表現すべきなのか混乱しているのだろう。

頭の中に『知己《ちき》』『学侶《がくりょ》』『良友』など様々《さまざま》な単語《たんご》が思い浮かぶが、杏里は自然な言葉を選び出す事ができなかった。

戸惑《とまど》う杏里に向かって、沙樹はゆっくりと身を乗り出してくる。

顔を近づけながら、今しがた名前が出た少年について口にした。

「竜ケ峰帝人《みかど》君の事も聞いてるよ？　三人でよく一緒《いっしょ》に遊んだりしたって言ってたよ。竜ケ峰君の目も、園原《そのはら》さんに釘付《くぎづ》けだったって。貴女《あなた》が凄《すご》く可愛《かわい》くて、胸も凄く大きいからだって、いっつも言ってた」

「か、からかうのはやめて下さい」

身を乗り出して触ろうとしてくる沙樹の手を躱《かわ》し、杏里は両腕《うで》で胸を隠《かく》しながら体を捻《ひね》る。

「あはは、ごめんごめん。半分は冗　談《じょうだん》だよ。でも、杏里ちゃんが可愛いのは本当だよ？　正臣の事より、今、そっちの方にちょっと嫉妬《しっと》しちゃいそうかな」

沙樹の笑顔は最初から変わらぬままで、言葉のどこまでが冗談なのか読み取りづらかった。

心の内を読ませない微笑《ほほえ》みを浮かべたまま、沙樹はさらに杏里の心に踏み込もうとする。

「じゃあ、園原さんは、竜ケ峰君の事はどう思ってるのかな？」

「……っ！」

「やっぱり、正臣と同じで……友達？」

おっとりとした口調《くちょう》だが、沙樹《さき》の言葉には妙《みょう》な圧力があった。

「それは……」

「初《しょ》対面なのに、これからすごく失礼な事を聞いちゃうけど……いいかな?」

「あ、はい」

あっさりと頷《うなず》く杏里《あんり》に、沙樹は僅《わず》かに微笑《ほほえ》みを薄くし、問う。

「園原《そのはら》さんって……好きな人、いるのかな?」

「……」

「ええと……誰《だれ》かを好きになった事って、ある?」

それは、杏里の心の奥にまで届く直球の一撃《いちげき》だった。

思わず息を呑《の》んだ杏里に、沙樹はペコリと頭を下げる。

「……御免《ごめん》ね、嫌《いや》な質問だっていうのは分かってるよ? でも……聞いておきたくて」

完全に表情を消した沙樹を見て、杏里は理解した。

この質問は嫌がらせでも、こちらの心を抉《えぐ》る為《ため》でもなく、本当に彼女自身にとって重要な問いかけなのだろうと。

ならば、曖昧《あいまい》な言葉で流すのは失礼なのではなかろうとか、暫《しば》し考えた後、彼女自身の答えを口にした。

半年程《ほど》前、自分を殺しに来た贄川春奈《にえかわはるな》に対して言ったのと同じ事を。

「私は……解《わか》らないんです」

「解らない？」

「人の愛し方とか……愛するにはどうすればいいのかとか……。私は、なんていうか……人を愛する事ができないんだと思います」

罪歌《さいか》の事は伏せつつ、杏里は自分の特性を語り続ける。

沙樹は特に表情を浮かべぬまま、黙《だま》ってその話を聞き続けていた。

「……」

「だから、私は人の気持ちにも応《こた》えられないし……多分、人を愛するとか恋するだとか、そういう資格もないんだと思います。色々なものを色々な人に依存《いぞん》して生きていく。それだけです」

世界と自分の心の間に額縁《がくぶち》を置き、身に起こる理不尽《りふじん》も、悲しい出来事も、日々の苦しさえも、全てを絵の中の出来事として眺《なが》める事で耐えてきた杏里。代償《だいしょう》として、物語の中の登場人物に感情移入《いにゅう》をするように、楽しみや喜びといった感情も、額縁の向こう側にいる者達に依存していた。

帝人《みかど》や正臣《まさおみ》が楽しそうに過ごすのを眺める事で、自分は充足を感じる事ができる。

その『額縁』こそが、父親からの虐待《ぎゃくたい》によって苦しめられた杏里が生み出した、彼女にとって最適な処世術《しょせいじゅつ》だったのだ。

——だからこそ、自分は人を愛する資格がない存在だ。

人を愛する事さえ『罪歌《さいか》』に依存《いぞん》している杏里《あんり》にとって、額縁《がくぶち》内のガラスには、己《おのれ》の姿《すがた》がそのように映っているのかもしれない。

自分自身に言い聞かせるような言葉に、沙樹《さき》は問う。

「それって、寂しくない？」

すると杏里は首を振って、少し困ったような笑顔を見せた。

「確かに、人づきあいは少ないです。クラスの子から寄生虫《きせいちゅう》だなんて言われた事もありますし、自分でもそう思います。だけど、私が選んだ生き方ですから、後悔《こうかい》はしていません」

——嘘《うそ》だ。

杏里は今、沙樹だけではなく、自分にも嘘をついた事を実感する。

昼間の臨也《いざや》との会話で、自分は思い知らされた筈《はず》だ。

寄生虫としての生き方を選んだと言いつつ、自分の汚《きたな》い部分から目を逸《そ》らしているだけだと。

鯨木《くじらぎ》や贄川《にえかわ》との会話で幾分《いくぶん》薄らいだとはいえ、彼女はこれまでになく嫌悪《けんお》していた。

「だから……寂しいとか、そういうのは関係ないんだと思います」

無理矢理《むりやり》満足げな笑顔を浮かべる杏里に、沙樹は更《さら》に問いかける。

「幸せ？」

「わかりません。私にとって、何が幸せなのか……自分でも良く解《わか》ってないんだと思います。私はただ、誰《だれ》とも喧嘩《けんか》しないで、静かに暮らせればいいなって……」

「ふーん……」

沙樹はテーブルの上に両腕《うで》を置き、杏里の目を真《ま》っ直《す》ぐ見つめた。

「竜ケ峰《りゅうがみね》君や正臣《まさおみ》とも、ただ静かに過ごせればいいって思ってる？」

「それは……」

「ただ依存するだけの関係って、物足りなくなったりしない？」

「いえ……考えてみても、やっぱり私には、誰かを好きになったりっていう感覚が良く解らないんです」

淡々《たんたん》と答えた後、杏里は慌《あわ》てて言葉を付け加えた。

「あっ……でも、紀田《きだ》君達とは、依存とかそういう関係だけじゃなくて……！」

周囲から常に一歩引く形――『額縁』越しに世界を見ていた杏里にとって、正臣や帝人は、その額縁を越えて手を取ってくれた人間である。

額縁の中の『憧《あこが》れの象徴《しょうちょう》』であった張間《はりま》美香《みか》と並び、愛情や友情と関係無しに、自分の心に強い影響《えいきょう》を与える存在だ。

他にも、セルティ・ストゥルルソンや狩沢《かりさわ》絵理華《えりか》、贄川春奈《はるな》や鯨木かさねなど、彼女の心に様々《さまざま》な形の楔《くさび》を打つ者達はいるが、そうした者達が多く現れた事が、逆に今の杏里の心を揺り動かしていると言えるだろう。

杏里は、そうした者達と繋《つな》がる切っ掛けとなった二人の少年の事をなんと表現するか迷った挙《あ》げ句《く》、答えを待つ沙樹《さき》に、自分でも自信のない言葉を告げた。

「あの……だから私は紀田《きだ》君とは恋人じゃなくて……」

「恋人じゃなくて？」

首を傾《かし》げる沙樹。

「ただの友達でもなくて……」

「ただの友達でもなくて？」

道に迷う虫のような仕草《しぐさ》で、反対側に首を傾げる沙樹。

「恩人《おんじん》、なんだと思います」

「恩人？」

「はい……紀田君達は、私に色々なものをくれた、とても大事な恩人なんです。でも、私はまだ何も借りを返せていなくて……」

少し悲しそうに瞳《ひとみ》を曇らせた杏里《あんり》を、沙樹は暫《しばら》く黙《だま》って見つめていたが——

「……園原《そのはら》さんってさ、いい人だよね」

「え？」

戸惑《とまど》う杏里に、沙樹は再び微笑《ほほえ》みかけた。

先刻《せんこく》までと比べて、笑顔に幾分《いくぶん》人間味が増している。

「なんだか、拍子抜《ぬ》けしちゃったかな」

「す、すみません」

「あ、違う違う、謝る所じゃないよ?」

批難《ひなん》されたと勘違《かんちが》いして頭を下げる杏里に、沙樹は慌《あわ》てて手を振った。

そして、安堵《あんど》の息と共に言葉を続ける。

「……でも、良かったかな。『二人の男の子をいっぺんに好きになって困っちゃってるの』なんて事を言われたら、黙《だま》ってこの部屋に火を点《つ》けてたかも」

物騒《ぶっそう》な事を言いながら、沙樹はカラコロと笑う。

冗談《じょうだん》とも聞こえたのだが、杏里はなんとなく、自分の返答如何《へんとういかん》によっては本当に火をつけられていたのではないか、という気になった。

それ程《ほど》までに、この沙樹という少女は心の表裏《ひょうり》が読めない存在だったのである。

相手を測りかねて黙《だま》り込む杏里に、当の沙樹は柔らかい声色《こわいろ》で言った。

「本当はねー。ここに宣戦布告《せんせんふこく》しに来たつもりだったんだよ?」

「宣戦……え?」

「杏里ちゃんも正臣《まさおみ》の事が好きだっていうなら、修羅場《しゅらば》っていう奴《やつ》になっちゃうのかなあって。それならそれで、ちゃんと『正臣は渡さないよ、この泥棒猫《どろぼうねこ》めー』って言った方がいいのかな……って思ってたの」

修羅場という単語《たんご》とはかけ離れた調子で、沙樹は杏里に語り続ける。

「でも、そういう空気にならなくて良かったって思えばいいのかな。でも、この先、園原《そのはら》さんが正臣《まさおみ》を好きになるってこともあるから、油断《ゆだん》はできないよね」

うんうん、と自分で自分の言葉に頷《うなず》く沙樹《さき》だが、芝居《しばい》がかったその仕草《しぐさ》が、素《す》なのか演技なのかは解《わか》らない。

ただ、初対面《しょ》であるにも関わらず、彼女の言葉は何故《なぜ》か杏里《あんり》の心に強く響《ひび》く。

「……それは、無いと思います。さっきも言いましたけど、私には、人を好きになるとかそういうのが良く……」

「解らないのは、私だって一緒《いっしょ》だよ？」

「えっ……」

「そういうの、いちいち頭で理解してる人の方が少ないんじゃないかな。恋とか愛とかって、理屈《りくつ》じゃないんだよ？　何も知らなくても、気が付いたら誰かの事を好きになったりするんだよ？　不思議《ふしぎ》だよねえ」

おっとりとした調子で話し続ける彼女の声は、杏里の心を更《さら》に揺らす。

「……でも、私には、人を好きになる資格なんて……」

「あるよ？」

俯《うつむ》きながらの杏里の言葉を、沙樹はあっさりと否定した。

「園原さんは自分の事を寄生虫《きせいちゅう》だと思うって言ってたけど、それはそうなのかもしれない。

「……だけどね、寄生虫だって、人を好きになったりしていいんだよ？」

「そんな……」

自分の事を寄生虫と認めた上で、尚《なお》も『人を愛していい』と言われるとは思っていなかった。

やはり沙樹の意図《いと》が分からず、杏里は目を白黒させて口ごもってしまう。

沙樹は、そんな杏里に尚も優しく語りかけた。

「私はね、人形だったの」

「人形……？」

「そう、折原臨也《おりはらいざや》さんって……知ってるよね？」

「……っ！」

何故《なぜ》このタイミングでその名前が出るのか。

折原臨也と彼女はいったいどういう関係なのか。

驚く杏里には構わず、沙樹は言葉を続けた。

「あはは、良く知ってるっぽい顔だね。あの人に、何か嫌《いや》な事された？」

「ええと、その……色々と……」

「そっか……大変だったんだね」

少しだけ同情の色を見せた後、沙樹は気持ちを切り替えて自分の事を語り出す。

「私はね、あの人の人形みたいなものだったの。臨也さんに『紀田《きだ》正臣を好きになれ』って言われたから、私は正臣《まさおみ》の事を好きになったの」

「？　……すいません、どういう事ですか？」

あまりに常識《じょうしき》離れした相手の言葉の意味をすんなり受け入れる事ができず、思わず言葉を返す杏里《あんり》。

ただ、一つだけ杏里も理解していた。

自分が知る『愛の形』は、罪歌《さいか》の囁《ささや》きから来る知識に過ぎない。

だが、目の前の少女が語っているのは、そうした『罪歌』の愛とも、恋愛《れんあい》小説やドラマで語られる物とも違う形の『愛』なのだろうという事は理解できた。

「正臣は怒ると思うけど、怒られても殴《なぐ》られてもいいって思ったから、話しちゃおうかなって思うの。正臣の事。……だけど、園原《そのはら》さんは、聞きたい？　昔の正臣の話」

不意《ふい》に確認《かくにん》を求められ、杏里は暫《しば》し固まってしまう。

紀田《きだ》正臣の過去。

それは、自分の『罪歌』と同じように、互いに明かさずにいる秘《ひ》め事だ。

この件について杏里は、竜ケ峰《りゅうがみね》帝人《みかど》と、『お互いの秘密《ひみつ》を告白《こくはく》するのは、三人がまた揃《そろ》ってからにしよう』という約束を交わしていた。

だからこそ、ここで聞いてはならない事だろう。

それに、人が隠《かく》したがっている過去を他人から聞く事には躊躇《ためら》いがある。

「どうするの？　私が話そうとしてる事は、竜ケ峰君とも関係してるかもしれない。だから話しておいた方がいいと思ったんだけど……聞くかどうかは、杏里ちゃんに任せる。……うん、任せるよ」

「私は……」

——聞かなくてもいいです。紀田君を信じていますから。

と、杏里はそう言いかけて、口ごもった。

ほんの僅《わず》かな疑念《ぎねん》が、彼女の心に湧《わ》き上がったのである。

——紀田君を信じてる？

——本当に、そうだろうか？

——私はやっぱり……ただ、目を逸らしたいだけなんじゃないだろうか？

約束を守る。

他人の過去には触れない。

紀田正臣の過去を知らずとも、信じきる。

それは確かに高潔《こうけつ》な事だ。

だが、と杏里は思う。

自分はそんなに、清廉潔白な存在だったろうか？　と。

他人に依存《いぞん》して生きる、寄生虫《きせいちゆう》としての道を、自らの手で選んだ。

さっき、そう言ったばかりではないか。

そして、それも自分の浅ましさから目を逸《そ》らすための言い訳《わけ》に過ぎないと、今は理解している筈《はず》ではないかと。

ただ、何が目的だとしても、自分が選んだ生き方だというのは事実である。

だからこそ、彼女はかつての贄川春奈《にえかわはるな》の襲撃《しゆうげき》を退《しりぞ》け、罪歌《さいか》の暴走《ぼうそう》を抑え込む事ができたのだ。

杏里《あんり》自身はプライドや信念《しんねん》などといった事は意識《いしき》していないが、その生き方に後悔《こうかい》はすまいという感覚は存在する。

そんな杏里の奥底にある感情が、自分自身に問いかけた。

——どうして私は、こんな時だけ善人《ぜんにん》ぶろうとしてるんだろう?

——この期《ご》に及んで、私は人間ぶろうとしているのか。

——愛を知らない癖《くせ》に、人の愛を利用して生きようとしている私が。

同時に、杏里自身はその声を打ち消そうとする。

私は人に依存して生きている。だからこそ、寄生する相手から邪険《じやけん》にされないようにしなければいけない。だから、竜ケ峰《りゆうがみね》君や紀田《きだ》君に嫌《きら》われないようにしなければならない。

そんな事を考えるが、心の奥から更《さら》なる疑念《ぎねん》が湧《わ》き上がった。

——それも嘘《うそ》だ。

──私は確かにさっき言った筈だ。

──「紀田君達とは、依存だけの関係ではない」と。

──「恩人《おんじん》」だと。

杏里はそう答えると、改めて自分の本心《ほんしん》について考える。

「は、はい……少し……考えさせて下さい」

10秒以上黙《だま》り込んだままの杏里を心配して、沙樹《さき》が声をかけてきた。

「大丈夫《だいじょうぶ》？」

不意《ふい》に彼女は、昼間言われた言葉を思い出した。

──『竜ヶ峰帝人《みかど》とも、紀田正臣《まさおみ》とも、君は距離を置いた。そうだろう？』

折原臨也《おりはらいざや》の言葉が、脳髄《のうずい》の奥から響《ひび》き渡る。

──『君は待ちに徹《てつ》したんだ。自分の周りに、自分に好意を向けてくれる人間がいる。その状況に甘えて、君は自分からは何もしなかった。もっと踏み込めた筈なのに、だ』

戯言《ざれごと》だから聞く必要はない、と、後で狩沢《かりさわ》が言っていた。

しかし、その言葉は、深く彼女の心に刻まれている。

杏里には、臨也の言葉を否定する事ができなかったからだ。

自分でも、自分自身の立ち位置に気が付いていた。

――私はここで、また『待つ』のだろうか？

――鯨木《くじらぎ》という人から罪歌《さいか》を手放すように言われた時、私はなんと答えた？

――「それに……大事な人達の前で、私は罪歌の事を告白《こくはく》するって約束してるんです……だから、その時まで、私は去年までの私で在り続けたいんです」

――私は確かに、そう答えた筈《はず》だ。

自分は変わりたくないと思っているのに、変わってしまった正臣《まさおみ》や、今まさに変わってしまおうとしている帝人《みかど》から目を逸《そ》らすのが正しい事だろうか？

杏里《あんり》はそんな自問自答《じもんじとう》に囚《とら》われる。

そもそも、沙樹《さき》には伝えていないが、自分は罪歌を宿している身だ。

本当に、自分が帝人達に深く関わって良いのだろうかと躊躇《ためら》ってしまう。

鯨木という女に『自分は化《ば》け物《もの》だから、人間を好きになったり、人並みの幸せを求めてはいけない』と言った時、彼女は、それを否定したがっていたのではないだろうか。

――そうだ。あの人は……人間じゃない。きっと、私よりもずっと人間から遠い。

――だけど、きっとあの人は、人を好きになろうとしていた。

――セルティさんのように。

――『罪歌』のように。

彼女は知らない。

数時間前、セルティが新羅《しんら》に対して『杏里ちゃんほど、帝人君達を心配している人間はいない』と力説《りきせつ》していたという事を。

そのセルティが現在影《かげ》の異形《いぎょう》と化し、罪歌を持つ鯨木と争っているなどという皮肉《ひにく》な状況は知らぬまま、杏里は最後に狩沢《かりさわ》の言葉を思い出した。

――『詳しい事は知らないけど、今だけは私が全部許《ゆる》してあげる』

――『たとえ杏里ちゃんが古代《こだい》の邪神《じゃしん》で、過去に地球を一度滅《ほろ》ぼしてたとしても、私は許してあげるからさ』

杏里が人間ではないと気付きながらも、彼女は自分を抱きしめ、抱きしめられた時に感じた『人』の温《ぬく》もりを思い出しながら、杏里は沙樹にも聞き取れぬぐらいの小さな声で、独《ひと》り言《ごと》を呟《つぶや》いた。

「……ずるいな、私」

――最後の一押《ひとお》しを、結局人《ひと》に依存《いぞん》してしまった。

そんな自分を自嘲気味《じちょうぎみ》に笑った後、杏里は表情を引き締め、口を開く。

「……聞かせて下さい。正臣君の事」

「いいの？」

確認《かくにん》するような沙樹の言葉に、杏里は力強く頷《うなず》いた。

「私も、お互いの秘密《ひみつ》を打ち明けるのは、三人が揃《そろ》った時だと約束しました」

沙樹《さき》の目を見ながら、ハッキリと自分の想《おも》いを口にする。

「だけど、約束を理由にして逃げるのは、嫌《いや》なんです」

些細《ささい》な事かもしれないが、それは杏里《あんり》にとっては大きな決断《けつだん》だった。

常に額縁《がくぶち》の向こう側として見ていた世界。

その額縁の内側に、自ら飛び込もうとしているのだから。

「でも、それは約束を破ってもいい理由にはならないから……」

杏里は一瞬目《いっしゅんめ》を伏せた後、沙樹に対して少し困ったような微笑《ほほえ》みを向けた。

「怒られる時は、私も一緒《いっしょ》に怒られます」

沙樹は、杏里の言葉を聞いた後、暫《しば》し黙《だま》り込んでいたが——杏里に対して笑い返すと、楽しそうに口を開く。

「やっぱり、園原《そのはら》さんって優しいねえ」

ほんの少しだけ、笑顔に悔《くや》しさを混ぜながら彼女は言った。

「……正臣《まさおみ》が色んな女の子に好きって言ってたの、多分、杏里ちゃんには本気だったんじゃないかな」

「え？」

「なんでもないよ？　じゃあ、ええと……どこから話そっか」

そして、沙樹は語り出す。
正臣が、杏里と帝人《みかど》に決して語る事の無かった、過去の物語を。
黄巾賊《こうきんぞく》リーダーとしての、殺伐《さつばつ》とした中学時代の出来事と——
紀田《きだ》正臣と沙樹自身が共に犯した過ちを。

♂♀

都内某所《ぼうしょ》　廃《はい》工場

三ケ島《みかじま》沙樹が園原杏里に語り続けていたその頃《ころ》——
正臣の過去について語る者が、もう一人存在した。
他の誰《だれ》でも無い。紀田正臣本人だ。

「……なるほど、まあ、話は分かった」

聞き手はたった一人。

つい先刻《せんこく》、正臣《まさおみ》とアクション映画ばりの逃走《とうそう》を果たした六条千景《ろくじょうちかげ》である。

二人がいるのは、かつて、黄巾賊《こうきんぞく》が根城《ねじろ》にしていた廃工場だ。

最近はダラーズの一部、ブルースクウエアの面々《めんめん》が使用していたのだが、埼玉《さいたま》の暴走族《ぼうそうぞく》『To羅丸《とらまる》』の襲撃《しゅうげき》があり、ここ最近では滅多《めった》に使われていない。

正臣の右手は、握った状態で包帯《ほうたい》が巻かれており、左足全体《ぜんたい》にもギプスが宛《あ》てがわれていた。

駐車場《ちゅうしゃじょう》から逃走《とうそう》した後、彼らは、乗っていたトラックによって埼玉方面まで運ばれていったが、人通りが少なくなった信号待ちを見計らって降車《こうしゃ》したのである。

運転手は異変《いへん》に全く気付いていなかったようで、トラックは何事もなかったかのように走り去る。千景はそんな車を見送りながら、「ありがとねー」と軽く言いつつ、帽子《ぼうし》を取って深く深く頭を下げた。

その後で通りかかったタクシーに乗り、手近な整形《せいけい》外科に駆《か》け込んだ形となる。

幸いにして、割れた膝《ひざ》の皿《さら》同士がさほど乖離《かいり》していなかった為《ため》、手術も入院も不要の保存《ほぞん》的治療《ちりょう》という結果となった。

ただし、もちろん足はがんじがらめに固定され、松葉杖《まつばづえ》が貸し出される。

砕《くだ》けた右拳《こぶし》も、粘着《ねんちゃく》テープと包帯による固定治療となった。

警察沙汰《ざた》になると面倒《めんどう》な事になるため、医者には『むしゃくしゃしてポストを殴《なぐ》ったり蹴《け》ったりした結果』と伝えてある。

心底呆《しんそこあき》れた顔をした後、医者は苦笑《くしょう》しながら言った。

――「最近多いんだよねぇ。池袋《いけぶくろ》でさ、バーテン服着た有名な子がいるんだけど……彼に憧《あこが》れて、彼と同じような真似《まね》をしようって子がさ。そういう子が、結構《けっこう》同じような真似やらかしてくるんだよねぇ」

初老《しょろう》の医者は苦笑《くしょう》し、様々《さまざま》な世間話《せけんばなし》をしながら検査と治療を完遂《かんすい》する。

正臣と千景は治療費《ひ》を払った後、そのままタクシーを呼び、ひっそりと池袋に舞い戻った。


そして、現在に到る。

正臣は駐車場から逃走《とうそう》した黄巾賊メンバーの無事《ぶじ》を電話で確認《かくにん》した後、ようやく安堵《あんど》に胸をなで下ろした。

千景はその様子《ようす》を確認した後で、『何がどうなってるのか説明してくれ。それで貸し借りはチャラにしてやる』と言いだし、正臣は迷った挙《あ》げ句《く》に自分の恥《は》ずべき過去と、友人と自分が置かれている現在の状況を語る事にしたのである。

全ての話を聞き終えた後、千景《ちかげ》は自分の認識《にんしき》が正しいか確認する為《ため》、正臣《まさおみ》に問いかけた。

「つまり、あれだ。ことの発端《ほったん》はお前が中坊《ちゅうぼう》の頃《ころ》に作ったチームなわけだ」

「……まあ、そういう事になります」

改めて問われた事で昔の自分を思い出し、正臣は強く下唇《くちびる》を噛《か》む。

「で、今のゴタゴタも、大勢《おおぜい》動いちゃいるが、なんのこたーねえ。お前の幼馴染《おさななじ》みが何かキレちまったから、お前はそいつの面《つら》をひっぱたこうとしてるだけってわけだ」

「え？　いや……それは省略《しょうりゃく》し過ぎだと思いますけど……」

一応目上《めうえ》の人間に対する敬意《けいい》は払っているが、助けられたとは言え、つい先刻《せんこく》まで喧嘩《けんか》をしていた間柄《あいだがら》だ。

「しかしまあ、本当にあの弱そうな小僧《こぞう》がダラーズのボスだったとはねえ。世も末《すえ》だな、全く」

複雑な表情の正臣に対し、千景はポン、と肩を叩《たた》いた。

「で、そのお友達を止めるのに、ブルースクウェアって連中《れんちゅう》が邪魔《じゃま》なわけだ。だから、仲間を集めてそいつらから潰《つぶ》してやろうってわけだ」

「……まあ、そういう事っす」

確認する千景に、正臣は目を逸《そ》らしながら頷《うなず》く。

「そうかいそうかい、なるほどなあ、なるほどねえ」

すると千景はニイ、と笑い——

軽い調子で言いながら、正臣にキツイ頭突《ずつ》きを一発叩《たた》き込んだ。

「馬鹿野郎《ばかやろう》っ」

「おわぁっ!?」

目の前に星が跳び、額《ひたい》を押さえながらかるくふらつく正臣。

松葉杖《まつばづえ》のお陰で辛《かろ》うじて踏みとどまり、揺れる視界《しかい》で千景を睨《にら》み付けた。

「な、なにすんだよ!」

「うるせえ! 話聞いてりゃ、全部お前がグダグダしてたのが悪いんじゃねえか! そんな事に俺《おれ》まで巻き込みやがって……いい迷惑《めいわく》だぜまったく!」

「いや待て、あんたが巻き込まれたのは、そっちから勝手《かって》に割り込んできたからだろ!」

すると、千景は腕を組みながら数秒考え、力強く頷いてみせる。

「ああ、よく考えればそれはその通りだった! そこは悪かった! ごめんな!」

「勢いで誤魔化《ごまか》そうとしてないか、アンタ……?」

額をさすりながらジト目で見つめる正臣に、千景は言う。

「だけどな。お前が法螺田《ほらだ》だかなんだかいう奴《やつ》をぶん殴《なぐ》った後に、何も言わないで勝手に消えちまったのが悪いのは確かだろ? それがなんだ? 勝手に消えておきながら、今さらどの面《つら》して『殴ってでもあいつを止める』だ! 殴られなきゃいけねえのはお前の方だろ! 逃げといたくせに、何を今さら友達面《づら》してんだって話だろうがよ」

「俺《おれ》だって、そんな事は解《わか》ってるさ！　大体、あんたがあの時に帝人《みかど》をちゃんと……！」

言いかけて、正臣《まさおみ》は言葉を呑《の》み込んだ。

「……いや、悪い。あんたのせいじゃない」

帝人が『自分がダラーズのリーダーだ』と名乗り出た時の話を持ち出すのは、やはり自分の逆恨《さかうら》みに過ぎない。

正臣はそう理解していたのだが、収めた言葉の続きを、千景《ちかげ》があっさりと吐き出した。

「ああ、俺があいつをちゃんとダラーズのボスだって認めて殴ってやってりゃ、こんな事にはなってなかったかもな。だけど、別に後悔《こうかい》はしてねえぜ」

「……」

「俺もそこは譲《ゆず》らねえよ？　タイムマシンで過去に戻っても、俺は同じ事するぜ。今は知らねえが、あの時のあいつは、ダラーズのボスの器《うつわ》じゃねえ。もうケリがついてる話で、器じゃない奴を器だって認めたフリして責任おっかぶせるのは、単なる憂《う》さ晴らしだ。俺のやり方じゃねえ。彼女達《ハニー》の前じゃ特にな」

淡々《たんたん》とした調子で断言《だんげん》した千景は、首をコキコキと鳴らしながら話し続ける。

「俺に責任があるってんなら、いくら押しつけてもかまわねえさ。ただな、俺がお前に頭突《ずつ》きしたのは、お前がダチを利用しようとしてるってとこが苛《いら》ついたからだ」

「……黄巾賊《こうきんぞく》の連中《れんちゅう》を巻き込んだのは、悪かったと思ってる、言い訳《わけ》はしねえよ」

「そうじゃねえって……ったく。自分で気付いてねえのか」

溜息《ためいき》交じりの舌打《したう》ちをして、千景は言った。

「お前が利用してるのは、その帝人っつー幼馴染《おさななじ》み君の事だよ」

「……帝人を？　俺が？」

眉《まゆ》を顰《ひそ》める正臣に、千景は問う。

「違うのか？　お前ただ、ヤバイ事になってるダチを助ければ、昔、自分の彼女を見捨てた罪《つみ》滅《ほろ》ぼしができるとでも思ってるんじゃねえのか？」

「そんな事は……」

「そうすりゃ、なんの負い目もなくお友達とやり直せる。そういう打算が無いって言えるか？」

「やめてくれよ！　説明しろっつーから説明したけどよ、あんたに俺の何が解《わか》るんだよ！」

『お前に何が解る』。

定番《ていばん》と言えば定番であるその台詞《せりふ》を言ってしまってから、正臣の心に生ぬるい後ろめたさが湧《わ》き上がる。少なくとも恩人《おんじん》に対して言う言葉ではないし、千景の言葉は半分正論でもあった。

図星《ずぼし》をつかれたからこそ、正臣はその事実から目を逸《そ》らそうと相手を突き放したのだが――

「俺に何が解るか、か……。なるほど、よし、これからどうするか決めなきゃなんねーからな。まずはそれから考えようぜ」

「えっ」

「つっても、俺《おれ》に何が解るって聞かれてもな……今お前の口から聞いた事と、お前が中々喧嘩《けんか》が強いっつー事だけしか解らねえしな……」

「いや、その……そんなマジに受け取られても……」

その場逃《のが》れの悪態《あくたい》に対して真剣に考え始める千景《ちかげ》を見て、さらに罪悪感が膨《ふく》らむ正臣《まさおみ》。

千景はそんな正臣に、真《ま》顔《がお》で問いかけた。

「で、ここ重要なんだが、そもそもお前は、自分の事を誰かに解って欲しいのか？」

「え？」

「これは大事な事だぜ？　人が人を解るって、すげえ難しいんだぞ？　俺だって彼女が十人以上いるけどよ、相手の事を完全に解ってるなんて口が裂《さ》けても言えねえしな。ノンは鋭くて俺の事を色々と解ってるっぽいんだけどよ、なんか、心の奥底まで解られるって、怖《こわ》くないか？」

徐々《じょじょ》に話がズレていっているような気がしたが、正臣は敢《あ》えて相手の話に乗ることにした。

「……そういう類《たぐい》の話は苦手《にがて》なんすけどね……。俺だって、幼馴染《おさなな》《じ》みの帝人《みかど》の事を解ってるつもりで、全然解ってなかったし……」

確かに、折原臨也《おりはらいざや》から『ダラーズの創始者《そうししゃ》』について聞かされた時は、簡単に鵜呑《うの》みにする事ができなかった事を覚えている。

そして、法螺田《ほらだ》を殴《なぐ》り倒し、黄巾賊《こうきんぞく》からブルースクウェアが一掃《いっそう》された後、自分は帝人達から距離を置く事を選んだ。

混乱していた事もある。

だが、自分は怖《おそ》れていたのだ。

竜ケ峰《りゆうがみね》帝人や園原杏里《そのはらあんり》に、自分の過去を知られる事を。

逆に、彼らが抱える秘密《ひみつ》を打ち明けられる事を。

知るという事は、相手とより深く繋《つな》がる事だ。

帝人や杏里と笑いあえる資格など無いのではないか。

そう怖れた自分は、沙樹《さき》と共に姿《すがた》をくらました。

自分の事を、裏切《うらぎ》られてもなお知ろうとしてくれていた少女の手を取り、帝人達の手の届かぬ場所へと消えた。つまりは、逃げ出したのである。

「本当は……お互いの事を何も知らなかった頃《ころ》に戻って、ただ、高校生らしくバカ話とかしたいって思ってるんすよ、俺。帝人や杏里を茶化《ちゃか》しながら、何も考えないで」

「高校生らしく、なんて言葉は、高校生が使うもんじゃねえぜ。もっと歳《とし》とってからガキ相手の説教《せっきょう》に使うもんだろ」

「……茶化さないで下さいよ」

「茶化したくもなる。話を聞いてりゃ、なんだ。お前も、その帝人って奴《やつ》と同じじゃねえか。仲良しか！　……いやまあ、幼馴染みなんだよな。そりゃ仲いいわな」

苦笑《くしよう》しながら工場のドラム缶《かん》に肘《ひじ》を置く千景に、正臣は眉《まゆ》を顰《ひそ》めた。

「同じ……？　俺《おれ》と、帝人《みかど》が？」

「そうだろ？　お前も竜ヶ峰《りゅうがみね》って奴《やつ》も、なんの事はねえ。ただ、弱いのが嫌な、だけ、だろ、う、が」

「え？」

「ったく、ややこしく考え過ぎなんだよお前ら。思春期《ししゅんき》か」

千景《ちかげ》は退屈《たいくつ》だとばかりに携帯《けいたい》電話のメールをチェックしながら、淡々《たんたん》と正臣《まさおみ》に語る。

「特別でもなんでもねえよ。兄弟喧嘩《げんか》に勝てない弟は、なんとかして兄貴《あにき》に勝ちたいもんだ。じゃあ、どうやって兄貴より強くなる？　身体《からだ》を鍛《きた》えるか？　知恵をつけるか？　金稼《かせ》いで見返すか？　まあ、手っ取り早く、寝込みを刺《さ》すって考える過激《かげき》な奴もいるかもな」

そんな事を語りながら、千景は正臣に笑いかけた。

「お前らがグダグダ悩んでるのなんてよ、そんな話と同レベルだぜ。竜ヶ峰帝人は、自分が弱いせいで全部駄目《だめ》になったと思ってる。お前は、自分が弱いから彼女を助けられなかったし、今も全部が駄目なまんまだと思ってるわけだ」

「……」

「で、お前も帝人も、弱い自分をなんとかしたいわけだ」

「俺は別に……」

否定しようとしたが、千景がその言葉を上から抑え付ける。

「弱いままでいいなら、帝人なんて奴は放っときゃいいだろ」

「それとこれとは……」

「別だと思うか？　お前は、弱いままで、その帝人って奴を止められると思ってんのか？　そこまで舐《な》めて掛かってる奴を、お前は親友だなんて思ってんのか？」

「……あんた、意外《いがい》と饒舌《じょうぜつ》だよな」

誤魔化《ごまか》すように言う正臣に、千景はニイ、と笑う。

「俺のハニーの一人が堅物《かたぶつ》って奴でよ、人にこういう議論《ぎろん》ばっかふっかけてくる可愛《かわい》い奴でさ……。なんていうかな、色んなハニーと話を合わせる為《ため》に、色んな俺がいるわけよ。別のハニーと話合わせる為に、保育士《ほいくし》の免許《めんきょ》も持ってるって言ったら、信じるかお前？」

「……俺も結構《けっこう》な軟派野郎《なんぱやろう》だと思ってたけど、あんたは筋金《すじがね》入りだな」

「俺のハニーみたいには上手《うま》く言えないけどよ、その……なんだ。やり方が逆なだけなんだよ、お前ら。弱い自分《てめえ》を否定する為に、竜ケ峰帝人は、すべてを無かった事にしようとした。弱かった自分《てめえ》を否定する為に、お前は今より強い自分になろうとした。それだけの話だろ」

「……」

正臣は、言い返さなかった。

反論する言葉も探せばある筈《はず》なのだが、今の正臣には見つからない。

今の状況を生み出したのは自分の弱さだと、痛い程《ほど》に理解しているからだ。

黙《だま》り込む正臣に、千景は調子を変えて語る。

「まあいいさ。とにかく、もっとシンプルに考えようぜ」

「十分シンプルに動いてるつもりなんすけどね」

「そうか？　難しく考え過ぎなんだよ、お前ら。もっとガキはガキらしく、やりたい事だけドバーってやってりゃいいんだって。失敗ばっか怖《こわ》がってウジウジしてっから、お前は結局帝人《みかど》って奴《やつ》と話せなかったんだろうが」

「それは……」

煮《に》え切らない正臣《まさおみ》に、千景《ちかげ》は更《さら》にはっぱをかける。

「単純に考えろよ。会って話したくねえのか？　イエスかノーで言え」

隠《かく》れ場所としてここを選んだのは、正臣にとって無意識《むいしき》のつもりだった。

だが、心のどこかで『もしかしたら帝人がいるかもしれない』と思った事は否定できない。

一方で、迷いと不安が残っていたのも事実だ。

帝人と再会したら、本当に自分に彼を止める事はできたのだろうか？

そんな疑問が湧《わ》き上がったのは、夕方の泉井《いずみい》との一件が切っ掛けだった。

あの場で感情に流されて周りが見えなくなった自分に、帝人をどうこうする事などできるのだろうかと。

だが、目の前の男は、感情に従えと、やりたい事をやれと口にした。

この男の言葉が正しいかどうかは解《わか》らないが、正臣は息を大きく吸い込み、覚悟《かくご》を決めて言い放つ。

「……そんなん、イエスに決まってる！　殴《なぐ》るにしろ殴られるにしろ、まず、アイツと会えなきゃ話にもならねえ」

後半は、自分自身に言い聞かせる言葉だった。

――ああ、畜生《ちくしょう》。

――また弱気になっちまってた。俺の悪い癖《くせ》だ。

正臣は、包帯《ほうたい》で固定された拳《こぶし》で自分の額《ひたい》を小突《こづ》いた。

痛み止めが効いているとは言え、折れた指から痛みが背骨まで伝わっていく。

そして、痛みで目が醒《さ》めたとばかりに顔を引き締めると、力強く頷《うなず》いた。

「ああ、そうだ。俺はもう、決めてるんすよ。元は俺の責任だろうがなんだろうが、帝人の奴が泣いて嫌《いや》がろうが、俺が勝手《かって》に助けてやるって」

「なんだよ。さっきより身《み》勝手な物言いじゃねえか」

「ええ。俺の我《わ》が儘《まま》っすからね。その後でなら、いくらでもあいつに殴られてやりますよ」

「……ハっ、いい顔するじゃねえか。俺とタイマン張るっつった時の目つきに戻ったな」

正臣の変化を見て、千景はニイ、と笑い、ドラム缶《かん》の蓋《ふた》を平手で強く打ち鳴らす。

「よし、じゃあ決まりだ！　行こうぜ！」

「へ？　行くって……何処《どこ》へ？」

千景《ちかげ》の言葉を聞いて嫌《いや》な予感《よかん》が湧《わ》き上がり、正臣《まさおみ》は笑顔を僅《わず》かに引きつらせながら尋《たず》ねた。

すると、千景は爽《さわ》やかな笑顔を浮かべたまま答える。

「だから、その竜ケ峰《りゅうがみね》の所だよ」

「……はい？」

単純過《す》ぎる千景の言葉に、正臣は軽い目眩《めまい》を覚えた。

千景はどうやら本気のようで、ドラム缶《かん》の蓋《ふた》を両手でリズム良く鳴らしながら口を開く。

「電話して、今どこに居るか聞けよ。タクシー代は俺《おれ》が出してやっから」

――こいつはいったい、何を言ってるんだろう。

あまりに奔放《ほんぽう》な千景の提案《ていあん》に、頭の整理が追いつかない。

正臣は辛《かろ》うじて理性《りせい》を保ったまま、呼吸を整え、言った。

「いや、俺が電話しても出ないから……」

「じゃあ、電話番号教《おし》えろ。知らない番号からなら、流石《さすが》に出るだろ」

「いや、俺も番号は昔と変えてたんすけど……。ていうか、そういう問題じゃ……」

「そういう問題だよ。やれる事は全部やってみるべきだろ？」

正臣が話した重い過去を聞いたばかりだというのに、自分には関係ないとばかりに軽い調子で提案する千景。

だが、その軽さに、正臣は逆に気圧《けお》されてしまっていた。

「ブルースクウェアとかいうガキどもは俺がなんとかしてやっから、お前はその隙《すき》に竜ヶ峰の所に行けよ」

「いや……待てよ。無茶《むちゃ》だって！　いくらあんたでも一人で……」

「勘違《かんちが》いすんな。なんとかしてやるだけだ。全員一人で相手するってほど馬鹿《ばか》じゃねえよ」

過去に一人で埼玉《さいたま》のチームを潰《つぶ》した経験《けいけん》のある男は、無駄《むだ》な謙虚《けんきょ》さを見せ、話を続ける。

「それにな、俺が手伝ってやるのは、竜ヶ峰と会わせるまでだ。その後はお前ら次第《しだい》だぜ」

半分突き放すような物言いで、千景は続ける。

「なんでもかんでも他人が解決しちゃ、お前も帝人《みかど》って奴《やつ》も、納得《なっとく》できねえだろ？」

「……」

「ま、やるだけやってみようや。結局お前との喧嘩《けんか》はノーゲームって形でケリがついちまったからな。賭《か》けは間をとって、対等な立場で協力してやるよ」

そう言われて、正臣は思い出した。

夕方《ゆうがた》千景と喧嘩する前、彼は『俺が勝ったら、黄巾賊《こうきんぞく》は俺の下につけ。代わりにお前が勝ったら、俺がお前らの用心棒《ようじんぼう》として言う事を聞いてやる』という賭けを持ち出していた事を。

「対等って……そりゃ、好き勝手《かって》やるって事っすか？」

「ああ、好き勝手させてもらう」

「……」

「そんな目すんなよ。心配すんなって！」

どこまでも軽い調子の千景《ちかげ》のペースに乗せられそうになりつつも、正臣《まさおみ》はすんでの所で踏みとどまって反論した。

「どっちにしろ、無茶《むちゃ》ですって！　ブルースクウェアの連中《れんちゅう》を相手にするなら、もっと念入《ねんい》りに準備しないと……」

「……そんな暇《ひま》、あると思ってるか？」

「え？」

「竜ケ峰《りゅうがみね》は自分が弱いと思ってんだろうけどよ……『ダラーズ』はそうじゃねえ」

不意《ふい》に言葉から軽さを消し、千景は真剣な顔で言う。

「俺《おれ》も、埼玉《さいたま》の方で割とでかいチーム持ってるから、色々とあるんだけどよ……。さっき、俺が喩《たと》え話で出した兄弟喧嘩《げんか》で言うなら、一つ、気を付けなきゃならねえ事がある」

ドラム缶《かん》の上をコツコツと指で叩《たた》きながら、暴走族《ぼうそうぞく》『Ｔｏ羅丸《とらまる》』のリーダーは淡々《たんたん》と言葉を続けた。

「ガキの兄弟喧嘩だろうと、あんま目立ち過ぎるとよ、おっかねぇ『大人《おとな》』がシャシャリ出てくる事があるんだよ。喧嘩を止めようってんじゃねえ。『おじさんの手伝いをしてくれれば、おじさんが、君のお兄《にい》さんをやっつけてあげよう』ってな」

「……」

「夕方、あのパーキングでお前が揉《も》めてた連中《れんちゅう》に……なんとなくだけどよ、そういう『怖《こわ》い大人』の匂《にお》いを感じたっつーか……」

遠回《とおまわ》しに言い続けた千景だが、諦《あきら》めたように溜息《ためいき》を吐《つ》き、ストレートに言葉を紡《つむ》ぐ。

千景の言いたい事に気付いていた正臣も、ハッキリとは言って欲しくなかった言葉を。

「ぶっちゃけた話、流石《さすが》の俺も、ヤーさん達が絡んで来たら、ろくな手助けできねえぞ」

♂♀

都内某所《ぼうしょ》　廃《はい》ビル　2F

竜ケ峰帝人《みかど》は考える。

自分は、何処《どこ》で何を間違えてしまったのだろうと。

今の自分が、間違った結果を歩んでいる事は理解できる。

だが、何が悪かったのか、それは考えても理解する事ができなかった。

仲間と悪ふざけでダラーズを作った事や、それを維持《いじ》しようとした事、そして、個人的な理由でダラーズの『力』を行使《こうし》した事。それらは原因の一つではあるかもしれないが、帝人は

『間違い』だとは考えていない。

――でも、誰《だれ》が悪いわけでもないよね。

――悪いとしたら、全部僕《ぼく》だ。

――僕が、弱いからだ。

心中《しんちゅう》でそんな事を呟《つぶや》きながら、帝人《みかど》は天井《てんじょう》をぼんやりと見つめていた。

ここは、都心部からやや離れた場所にある廃《はい》ビルであり、過去に銃撃戦《じゅうげきせん》などがあった事から地元《じもと》の人間は滅多《めった》に近づかないスポットとなっている。

ダラーズの一部――帝人と青葉《あおば》が率《ひき》いる『ブルースクウェア』の溜《た》まり場ではあるが、襲撃《しゅうげき》などに備え、いつでも引き払える状態を保っている仮初《かりそ》めの拠点《きょてん》だ。

帝人はそんなビルの中に積まれた廃材《はいざい》に腰掛け、壁によりかかりながらぼんやりと視線を上に向けている。

「どうしたんですか、竜ケ峰先輩《りゅうがみねせんぱい》。ぼんやりしてますけど」

階段を昇ってきた黒沼《くろぬま》青葉が、焦点《しょうてん》定まらぬ帝人を見て声を掛けてくる。

帝人はゆっくりと身を起こし、今しがたの悩みを見せぬよう、思ってもいなかった事を口にした。

「ああ、やっぱり、セルティさんの首の事が気になってさ」

自分の弱みを隠《かく》す為《ため》にセルティを利用した事に罪悪感《ざいあく》を覚えつつ、帝人は改めて日中に起こった事件について考える。

「なんで、今になって突然《とつぜん》首が出て来たんだろう。臨也《いざや》さんも本当に知らない感じだったし」

臨也が首を所有していた事を、帝人は知らない。

同時に、臨也も首が持ち出されて町中《まちなか》に放り投げられた事は知らなかった為《ため》、帝人の見立ても間違いではなかった。

帝人にとってはセルティは恩人《おんじん》である為、首の奪還《だつかん》には協力したい所だ。

しかし、警察が回収《かいしゅう》したものに関しては、流石《さすが》にダラーズの組織力《そしきりょく》を使おうがどうにもならない。それこそ、警察内部に協力者でもいない限り奪還は難しいだろう。

同時に、思う。

「セルティさんは、あの首、まだ欲しがってるのかな」

今では首など無くても良い、という素振《そぶ》りだったが、実際に町中に現れてしまった今、セルティ本人の胸中《きょうちゅう》は如何《いか》ほどのものだろうか。

独《ひと》り言《ごと》として呟いた帝人の疑問に、青葉が答えた。

「どうでしょうね。セルティさんは、今の生活を楽しんでる節《ふし》がありましたから。今さら首が見つかったというのは複雑な気分じゃないですか？　首が手に入ったら、記憶《きおく》も全部戻るんでしょう？　そしたら、この池袋《いけぶくろ》から去らなくちゃいけなくなるかもしれないじゃないですか」

セルティと知り合いだと明かした後、帝人《みかど》からある程度の過去話を聞いていた青葉《あおば》は、自分なりに推測《すいそく》した事を述べる。

「寂しいですか？　ダラーズの初《はつ》集会の切っ掛けになった、帝人先輩《せんぱい》の大好きな『都市伝説《でんせつ》』がいなくなるのは」

「うーん……セルティさんは、もうそういうの関係無しで知り合いだから、いなくなるのは凄《すご》く寂しいけど、それをセルティさんが選んだ、っていうなら、止める権利はないよ」

言った後に、帝人は考える。

——僕にとって、セルティさんの『首』にあたるものはなんだろう。

——何度かこんなことを考えた気がするけど……。

自問自答《じもんじとう》する心に浮かぶのは、杏里《あんり》と正臣《まさおみ》の顔だった。

帝人が会おうと思えばすぐに会える二人。

しかし、そこに並んでいた筈《はず》の自分の笑顔は、もう、戻らない。

正臣や杏里に会わせる顔など、ある筈がない。

全ては自分の弱さが招いた事だ。

好奇心《こうきしん》は猫《ねこ》をも殺すというが、些細《ささい》な好奇心が生み出したダラーズは、普通に生きる筈の自分自身を殺したのだろう。

——もう少し。

——もう少しで、全部上手《うま》くいく筈なんだ。

——そうしたら、また、園原《そのはら》さんや正臣と……。

と、そこで帝人は想《おも》いに耽《ひた》るのを止《や》めた。

これ以上は、余計《よけい》な迷いを生むと知っていたからだ。


無表情のまま再び虚空《こくう》を見つめる帝人に、青葉《あおば》が問いかけた。

「で、どうします、これから」

「まずは黄巾賊《こうきんぞく》の出方を見よう。正臣は奇襲《きしゆう》とか好きだからね。下手《へた》に動かない方がいいよ」

「なるほど。確かに、あの人のやり口は誰《だれ》かに似てますからね」

折原臨也《おりはらいざや》の事を思いだし、青葉が僅《わず》かに目を逸《そ》らす。

すると、帝人はそんな青葉に真剣な表情で言葉をかけた。

「ああ、そうそう、一つ気になってたんだけど……」

「どうしました？」

帝人の顔を見る青葉に、帝人は心配するような目を向け、尋《たず》ねる。

「青葉君達は、夏休みの宿題、やらなくていいの？」

「……」

「いや、もう終わらせてるならいいいんだけど、僕のせいでやる暇《ひま》が無かったなんてことになったら悪いからさ」

廃《はい》ビルという状況に全く似合《にあ》わない事を言いだす帝人《みかど》に、青葉《あおば》は一瞬目《いっしゅんめ》を丸くした後——

どこか嬉《うれ》しそうに微笑《ほほえ》みながら、答えた。

「大丈夫《だいじょうぶ》ですよ。もう、初日に終わらせてます」

青葉から見て、帝人は至って凡庸《ぼんよう》な高校生に見える。

そんな帝人の『恐さ』を、青葉は心中《しんちゅう》で賞賛《しょうさん》した。

この状況でも、彼は普通の少年で在り続けている。

赤林《あかばやし》という男が訪れた時に、彼は本当に怯《おび》えていた。

暴力団幹部《ぼうりょくだんかんぶ》の男に対して人並みに怯え、後輩《こうはい》の学業を心配する。

少し面倒《めんどう》身のいい真面目《まじめ》な生徒。演じるわけでもなく、そんな『普通の人間』で在り続けている事こそが、帝人の最大の『恐さ』だと青葉は考えていた。

普通に生きていれば滅多《めった》に触れる事のない世界に半分以上身を浸《ひた》しながら、彼はそれを完全に『日常の一部』として受け入れている。

最初はただ利用するつもりだったが、この『人当たりが良く、それ故《ゆえ》に恐ろしい』という特性を持った帝人ならば、自分の見たかった景色《けしき》を、共に眺《なが》める事ができるのではないだろうか？

そんな期待と畏《おそ》れを抱きながら、青葉はこの先輩《せんぱい》の行く末を見てみたいと感じていた。

だからこそ、余計《よけい》な邪魔《じゃま》が入らないようにしなければならない。

──折原臨也《おりはらいざや》は、何を企《たくら》んでいる？

──今の帝人先輩を見たら、もう手を出さなくてもいいと思ってるかもしれないけど……。

──あのゲス野郎《やろう》は、自分は傍観者《ぼうかんしゃ》のつもりでも、全然傍観できない奴《やつ》だからな。

自分に似通《にかよ》った部分があるからか、臨也の事をほぼ正確に分析《ぶんせき》している青葉。

どんな状況だろうと、あの男には油断《ゆだん》がならない。

いざとなれば、あの赤林という粟楠会《あわくすかい》の幹部に臨也の情報をリークし、粟楠会と臨也を対立させる構図《こうず》にするべきだろうか。

そんな事を考えていた青葉の表情を見て、帝人が心配そうに問う。

「本当に大丈夫？　宿題、終わってないなら手伝うよ？」

「あ、いえ、本当に終わってますってば」

廃ビルというロケーションでなければ、十分に普通の高校生らしい会話を続ける二人。

だが、その空気を壊《こわ》す形で、青葉の仲間の声が階段から響《ひび》いて来た。

「おーい、青葉！　帝人先輩！　ちょっと……」

「？」

「どうしたの？」

青葉と帝人がそちらに顔を向けると、ブルースクウェアのメンバーの一人が、困ったような顔でこちらに駆《か》け寄ってきた。

「今、下にヤバイのが来てて……」

「誰《だれ》?」

帝人《みかど》の問いに、ブルースクウェアの少年は思わず口を閉ざし、青葉《あおば》の方に視線を送る。

青葉は、眉《まゆ》を顰《ひそ》めつつ、視線で答えを促《うなが》した。

「……いや、その……泉井って人が……」

その瞬間《しゅんかん》、青葉は首筋《くびすじ》を強ばらせた。

──兄貴《あにき》……!

──本当に来たのかよ……!

「……何人で来た?」

「いや、それが、いまんとこは一人しか見当たらねぇんだけど……」

──一人?

青葉は、兄らしからぬ行動に眉《まゆ》を顰《ひそ》める。

だが、今はそれよりも、泉井《いずみい》の事をなんと帝人に説明するかの方が重要だ。

そう考え、思案《しあん》を巡らせていると──

キョトンとした顔で、帝人が言う。

「泉井……泉井蘭《らん》さん?」

「え?」

「青葉君の、お兄《にい》さんだよね？」

「……っ！」

青葉は軽く驚き、帝人に向かって尋《たず》ね返した。

「俺《おれ》、兄貴の事……言いましたっけ？」

「僕も、それなりの情報網《もう》は持ってるって事だよ」

帝人は、無邪気《むじやき》に笑いながら答える。

「驚いた？」

その言葉を聞いた青葉は、自分がかつて帝人に言った言葉を思い出した。

――「早い話、先輩が、ダラーズの創始者だからです」

――「驚きましたか？　俺達も、それなりの情報網は持ってるって事ですよ」

初めて帝人に正体を明かしたときに、自分達がどこまで知っているかを伝える為《ため》に放った、脅《おど》しにも近い言葉。

意図《いと》的かどうかは解《わか》らないが、帝人は全く悪意なく、その時の意趣返《いしゆがえ》しをしたのだ。

ゾクリ、と青葉は背筋《せすじ》を震わせる。

恐怖《きようふ》ではない。

歓喜《かんき》が己《おのれ》の内から湧《わ》き上がり、感動に身を震わせたのだ。

「……参《まい》ったな。どこまで知ってます？」

「前のブルースクウェアのリーダーでしょ？　黄巾賊《こうきんぞく》と派手《はで》に喧嘩《けんか》して、正臣が好きだった子に大怪我させて捕まったんだよね？」

「……」

「少年刑務所《けいむしょ》とか少年院《いん》とか……とにかくそういう所に暫《しばら》く入ってたって聞いてたけど、もう、出所《しゅっしょ》してたんだね」

そこまで聞いた青葉は、更《さら》なる感動に顔が緩むのを必死で我慢《がまん》しながら、冷静さを保ったまま、わざとらしい溜息《ためいき》を吐《つ》き漏《も》らす。

「……そこまで解《わか》ってるなら、説明する必要ないですよね。正直、兄貴《あにき》はヤバいんで、会わない方がいいですよ。俺《おれ》達で適当に追い返しますから、その後アジトを変えましょう」

「いや、会うよ」

「え？」

帝人《みかど》は薄く笑いながら、自《おの》ずと階段に足を向ける。

「もしかしたら、君を心配して来たのかもしれないし。僕が何をしてるのかって事も、ちゃんと説明しないといけないと思うんだ」

「お、あんたが竜ヶ峰《りゅうがみね》帝人かぁ？」

一階に降りた帝人達を待っていたのは、ブルースクウェアの面子《メンツ》に囲まれつつも、不遜《ふそん》な態度を崩《くず》さないサングラス姿《すがた》の男だった。

「兄貴……」

「よぉ、青葉《あおば》。約束通り、挨拶《あいさつ》に来てやったぜぇ？」

顔の火傷《やけど》が特徴《とくちょう》的な男であり、佇《たたず》んでいるだけで暴力《ぼうりょく》的な圧力を感じる。

正直、帝人が一番苦手《にがて》なタイプの人間なのだが、先日の赤林《あかばやし》とは違って命の危機《きき》を感じる程《ほど》の恐怖《きょうふ》は感じなかった。

恐らくは、青葉の兄という情報を知っていた事もあるのだろう。また、今の彼が万全《ばんぜん》な状態に見えなかったという事も、恐怖を薄らがせる要因の一つと言えるだろう。

彼は上《じょう》半身に包帯《ほうたい》を巻いており、その上から薄手《うすで》の夏用ジャンパーを羽織《はお》っているような状態だ。

「……あの、怪我《けが》をしてるみたいですけど、大丈夫《だいじょうぶ》ですか？」

「あぁ？　ああ。これかい。悪ぃな。階段から転げ落ちてちょいとな」

不敵《ふてき》な笑《え》みを浮かべる泉井《いずみい》に、帝人はゆっくりと頭を下げる。

「お大事にして下さい。あの……僕が、竜ヶ峰帝人です」

「ほぉー、青葉とそんな背格好《せかっこう》もかわらねぇアンタが、ダラーズのリーダーとはなぁ。そうかいそうかい、大変だな、おい」

皮肉《ひにく》交じりな泉井《いずみい》の言葉にも、帝人《みかど》は特に不機嫌《ふきげん》な様子《ようす》は見せなかった。

寧《むし》ろ、威圧《いあつ》的な空気に怯《おび》えかけているような節《ふし》さえ感じられる。

「あ、いえ……ダラーズにはリーダーとかいないんで……ブルースクウェアのリーダーを、やらせて貰《もら》ってます」

「はっ！　ブルースクウェアのリーダーと来たかよ！　つまりあんたは、青葉《あおば》と俺《おれ》に続いて、三代目《め》ってわけだ。あぁ、法螺田《ほらだ》のタコも入れりゃ四代目か」

クックッと笑いながらも、サングラスの下の目がどうなっているのか解《わか》らない。

——そもそも、何しに来たんだ、兄貴《あにき》は？

一人で来たとは言っているが、少し離れた場所に仲間達が待機《たいき》している可能性は大いにある。

いざとなれば、帝人だけでも逃がさなければならない。

青葉達は警戒《けいかい》を続けるが、泉井は一頻《ひとしき》り笑い終えると、想像外《そうぞうがい》の事を言い出した。

「……まあ、こうして会ったのも何かの縁《えん》だ。ちょっと、二人っきりで話せねぇか？」

唐突《とうとつ》な提案《ていあん》に、ブルースクウェアの面々《めんめん》がざわめいた。

目的も解らない男が、帝人と二人きりにしろなどという。

そんな提案は飲めぬとばかりに、青葉が兄に食ってかかった。

「おい、兄貴。あんまり勝手《かって》な事してもらっちゃ困るんだけどな」

「焦《あせ》んなよ。お前は今度、暇《ひま》になったらたっぷり遊んでやっから。なぁ？」

「そういう問題じゃない、ってのは解るだろ？」

兄弟の間で、冷えた空気が密度《みつど》を増していく。

すると、帝人は首を振りながら、そんな青葉の肩を叩《たた》いた。

「いいよ。話してみる」

「帝人先輩《せんぱい》？」

「あの、泉井さん。個室とか無いんで、話を伺《うかが》うなら、ここの二階でいいですか？」

「構わねえよ」

ニタニタと笑う泉井を睨《にら》み付けた後、青葉は帝人に向き直る。

捕《つか》まる前の泉井ならまだしも、今の兄は、昔とは丸で違う危険な空気を纏《まと》っているのは確かだ。そんな男と帝人を二人きりにするなど危険過ぎると思い、帝人に対して異を唱《とな》えた。

「やめた方がいいっすよ、帝人先輩。こいつ、何してくるか……」

「お兄《にい》さんの事を、『こいつ』なんて言っちゃ駄目《だめ》だよ」

普通の調子で説教《せっきよう》する帝人に、泉井が笑う。

「そうだぜ、青葉。仲間の前だからってかっこつけてねえで、ちゃんといつもみたいに『兄貴ー、兄貴ー』って言って甘えてくれよ。なあ？」

挑発《ちようはつ》するような泉井の言葉を無視しつつ、青葉は尚《なお》も帝人に何か言おうとしたが――それよりも早く、帝人が微笑《ほほえ》みながら口を開いた。

「大丈夫《だいじょうぶ》だよ、ブルースクウェアのOBの人と話をするだけ。変な事じゃないよ」

「いや、でも……」

「ダラーズとしてはともかく……。形だけとはいえ、僕はブルースクウェアのリーダーって肩《かた》書《が》きなんだからさ、泉井《いずみい》さんには敬意《けいい》を払うべきだと思う」

「……」

黙《だま》り込む青葉《あおば》の後ろで、泉井がゆっくりと両手を叩《たた》く。

「いいねいいねぇ。帝人《みかど》君の方が道理《どうり》を解《わか》ってるじゃあねえか。なあ、青葉ぁ」

ネットリとした言葉に苛立《いらだ》ちを感じつつ、青葉は帝人の目を見た。

泉井に無警戒《むけいかい》なわけではない。寧《むし》ろ、僅《わず》かに怯《おび》えている節《ふし》すらある。

それでも『二人きりで話す』と彼が決めた以上、何を言っても止まらないだろう。

青葉は最後にもう一度兄を睨《にら》み付けた後、しぶしぶながら引き下がる事にした。

「解りました……何かあったら、すぐに行きますんで」


「まさか、あっさり応じてくれるたぁ思わなかったぜ」

二人きりで階段を上り終えた所で、泉井が口を開いた。

「ちょいと警戒が足りないんじゃねえか？　喧嘩《けんか》慣れしてるようにゃ見えねぇが、怪我人《けがにん》の俺《おれ》ならなんとかなるとでも思ったか？」

　すると、帝人は自嘲気味《じちょうぎみ》に笑いながら言葉を返す。

「まさか。僕は喧嘩がからっきしなんです。泉井さんの両腕《うで》が折れてたとしても、多分僕は手も足も出ないと思いますよ」

「……」

「でも、泉井さんも、多分無事では帰れないと思いますよ」

　帝人は表情を変えぬまま、物騒《ぶっそう》な事を口にした。

「ブルースクウェアのみんなは、凄《すご》く喧嘩強いですから」

「人任《ひとまか》せで強くなったつもりか？」

「まさか。僕は弱いままです。だから、数にしか頼れないんです」

　どこか暗い表情で言う帝人に、泉井は別の事を問いかける。

「さっき手前《てめえ》、『ダラーズとしてはともかく』とかヌカしてたよなぁ。ダラーズとしては、俺の事をどう思ってやがんだ？」

　すると帝人は、泉井を振り返り、真剣な表情で答えた。

「申し訳《わけ》ないですけど、ダラーズにはあまり居て欲しくないです。今、貴方《あなた》みたいなタイプの人をダラーズから追い出す為《ため》に、青葉君達に動いて貰《もら》ってます」

「……」

あまりにも堂々《どうどう》とした回答に、泉井《いずみい》は僅《わず》かに動きを止める。

次の瞬間《しゅんかん》、粘《ねば》ついた笑《え》みを顔面に貼《は》り付け、言った。

「良い度胸《どきょう》じゃあねぇか。俺《おれ》を舐《な》めてやがんのか？」

「いいえ、違います。その逆ですよ」

「あぁ……？」

訝《いぶか》しむ泉井に、帝人《みかど》は続ける。

「僕は……貴方《あなた》達みたいな人が怖《こわ》いんです。舐めるなんてとんでもない。怖くて怖くて、それでも、どうする事もできないから……ダラーズから出て行って欲しいんです。家の中にライオンが入って来て、武器《ぶき》をとって追い出したとしても……ライオンを舐めて掛かる人なんて、滅《めっ》多《た》にいないと思いますけど」

「……」

想像《そうぞう》外の方向から来た答えに、泉井は暫《しば》し表情を消していたが——

やがて、堰《せき》を切ったように声をあげて笑いだした。

「ハハハハハ！　ヒアハハハ！　馬鹿《ばか》じゃねえのかお前！　この状況で、んな事言うかぁ？　普通よぉ！」

楽しそうに両手をバチバチと打ち鳴らす泉井。

その笑いの奥に狂気《きょうき》めいたものを感じ、帝人は僅《わず》かに警戒《けいかい》を強めた。

一頻《ひとしき》り笑い終えると、泉井は、青葉《あおば》達が雑談《ざつだん》に使っている折り畳《たた》み机に目をつけ、横にあったパイプ椅子《いす》に腰を下ろす。

「なるほどなるほど。紀田《きだ》正臣《まさおみ》とは全然別のタイプだ。信じがたいおぼっちゃんだぜ。面白ぇよ、お前。青葉よりもよっぽどなぁ」

正臣の名前が出た瞬間《しゅんかん》、帝人の表情がピクリと動く。

何か思う所はあるのだろうが、とくにそれについて言及《げんきゅう》はしなかった。

すると、泉井は折り畳み机に肘《ひじ》を置き、不敵《ふてき》な態度で、話の本題を切り出していく。

「竜ヶ峰《りゅうがみね》帝人君よぉ。お前は、数にしか頼れないいっつったよなあ」

「……はい」

申し訳《わけ》なさそうに頷《うなず》く帝人に、泉井は、これまでに無い凶悪《きょうあく》な笑みを浮かべ、とある提案《ていあん》を持ちかけた。

「別のもんにも、少しは頼ってみたいたぁ思わねぇか?」

♂♀

10分後

「……遅いな。まだ話してるのか？」

青葉《あおば》が、やや不安そうに階段の方に目を向ける。

泉井《いずみい》が帝人《みかど》を再起《さいき》不能にして、そのまま二階から脱出《だつしゅつ》するという可能性も考えていた為《ため》、念の為に外からも仲間達に見張らせている。

いったい何の話をしに来たのかは解《わか》らないが、ただの茶飲《ちゃの》み話で済む筈《はず》がない。

警戒《けいかい》していると、やがて階段に人影《ひとかげ》が見えた。

最初に降りてきたのは泉井で、その後ろを見送る形で帝人の姿《すがた》がある。

帝人が無傷《むきず》な事に安堵《あんど》しながら、青葉はゆっくりと階段に歩み寄った。

「邪魔《じゃま》したな。楽しかったぜ」

泉井は、階段の帝人を振り返ってそんな言葉を口にする。

今までに無い程《ほど》に上機嫌《じょうきげん》な調子の泉井を見て、青葉は軽く驚いた。

「いえ、こちらこそ、色々とありがとうございました」

ペコリと頭を下げる帝人に軽く手を振りながら、泉井は何事も無かったように出口へと足を向ける。

――なんだ？

――こんな兄貴《あにき》、初めて見たぞ？

訝《いぶか》しむ青葉とすれ違う瞬間《しゅんかん》、泉井は青葉の肩に手を置き、耳元で囁《ささや》いた。

「竜ヶ峰《りゅうがみね》帝人か。面白い小僧《こぞう》だ。気に入ったぜ」

「……何の話をしてたんだ？」

眉《まゆ》を顰《ひそ》める青葉の質問には答えず、泉井はニイ、と口の端《は》を歪《ゆが》めて見せた。

「だがな、青葉。あいつは、お前にゃ扱いきれねぇよ」

「……兄貴なら、扱えるって言いたいのかい？」

帝人には聞こえぬよう、小声で答える青葉。

「いいや、お前に無理《むり》なもんを、俺《おれ》に扱えるわけねぇだろ」

泉井は軽く首を振った後、最後に一つだけ囁いた。

「物事にはよぉ、なんでも適材《てきざい》適所ってのがあるのさ」

と、彼らしくもない、やけに遠回しな一言《ひとこと》を。


青葉はそんな兄の背を見送った後、改めて帝人を振り返る。

彼は、何事も無かったかのように、いつも通りの表情を浮かべていた。

どうやら、本当に泉井は帝人に危害を加えなかったようだ。

それが逆に不気味《ぶきみ》であり、青葉の胸に、妙《みょう》な胸騒《むなさわ》ぎ湧《わ》き起こる。

やはり、兄に会わせたのは失敗だったのではないか。

折原臨也《おりはらいざや》を前にした時の不快感を上回る、不気味《ぶきみ》な寒気《さむけ》と苛立《いらだ》ちを感じながら——

それでも青葉《あおば》は、実の兄を追って問い詰める事ができなかった。

♂♀

数分後　路上《ろじょう》

廃《はい》ビルが見えなくなった所まで歩いた時、泉井《いずみい》の背後から黒塗りの高級車が迫り、追い抜いた所でゆっくりと停車する。

何の声も掛からぬまま後部《こうぶ》座席のドアが開き、泉井も何も言わぬままその車に乗り込んだ。

「電話だ」

後部座席に座っていた大柄《おおがら》なスーツ姿《すがた》の男が、泉井に携帯《けいたい》電話を手渡した。

泉井が無言のまま耳に当てると、スピーカーから、こちらを圧伏《あっぷく》するかのような重々《おもおも》しい声が響《ひび》いてくる。

『俺《おれ》だ』

「お疲れ様です」

泉井は顔から表情を消し、彼には似付《につ》かわしくない言葉を紡《つむ》ぎ出した。

通話先の男――粟楠会幹部《あわくすかいかんぶ》の青崎《あおざき》は、細かい挨拶《あいさつ》などは抜きで泉井に問う。

『何か動きはあったか』

すると泉井は、無表情のまま答えた。

「折原臨也からメールが来ました。平和島静雄《へいわじましずお》とケリをつけるつもりらしいです」

『もう少し、頭の回る奴《やつ》だと思ってたんだがな。だが、スローンと連絡《れんらく》が取れなくなったのが気になる。手前《てめえ》の事も気付いてブラフをかけてるのかもしれねぇ。適当に返事して裏ぁ探れ』

「本当に静雄と殺《や》り合うつもりだったら、どうしますか？」

『死にてえってんなら、勝手《かって》に自殺させとけ。折原は形だけはうちの手駒《てごま》だが、平和島にはお嬢《じょう》の件で借りがあるからな。動かなくても面目《めんぼく》は立つ』

あっさりと人の生き死について語り終えると、青崎は話の本題を切りだした。

『で、どんな小僧だった』

「ひょろっとしたガキでしたよ。背も高くねえし、男の癖《くせ》に花占《うらな》いでもしそうなナヨっとしたやつでした」

『見た目はどうでもいい。今のガキは外面《そとづら》と中身が繋《つな》がらねえからな』

青崎《あおざき》はスピーカー越しでも変わらぬ威圧《いあつ》感を声に含ませ、泉井《いずみい》に対して淡々《たんたん》と報告を促《うなが》した。

『上手《うま》く手綱《たづな》ぁ取れそうか』

「正直、俺《おれ》には荷が重い気がします」

『珍《めずら》しいじゃねぇか。手前《てめえ》がそんなこと抜かすなんてよ』

意外《いがい》そうに言う青崎に、泉井は薄く笑いながら答えた。

「ええ、ですが、俺は気に入りました。粋《いき》がったガキなら、ぶっ潰《つぶ》して俺がダラーズを仕切ろうと思ってたんですが」

『それは俺が決める事だ。勝手《かって》な真似《まね》はすんな。まあ、俺も半分そのつもりだったんだがな。……それにしても、手前が誰《だれ》かを気に入るなんて珍しい事もあるもんだ』

鼻で笑う青崎だが、すぐに笑《え》みを消し、泉井に更《さら》に踏み込んで尋《たず》ねる。

『で、手土産《てみやげ》は渡せたのか？』

「ええ。無事《ぶじ》に」

すると、青崎はやや声を重くし、一つの事を確認《かくにん》してきた。

『うちの看板《かんばん》は出してねえだろうな』

「組の名前出してアレを渡すほど、俺は馬鹿《ばか》じゃないっすよ」

『その竜ヶ峰《りゅうがみね》ってガキがサツにパクられたりしたら、そこで手前と俺は赤の他人だ。それを忘れねえように、首の骨にでもキッチリ刻んどけよ』

警察沙汰《ざた》になった時に、粟楠会《あわくすかい》との関わりを供述《うた》えば殺す。

あまり遠回しになっていない脅《おど》し文句《もんく》を聞き、泉井は淡々《たんたん》と答えた。

「……解《わか》ってます」

『ならいい。だが、出所《でどころ》も怪《あや》しいブツを、その小僧《こぞう》は本当に受け取ったのか？』

確認するように言う青崎に、泉井は、車に乗り込んでから初めて明確な表情を浮かべる。

嬉《うれ》しそうに愉《たの》しそうに口元を歪《ゆが》めながら、それでも口調《くちょう》だけは殊勝《しゅしょう》なまま、青崎に言った。

「ビビリも喜びもしねぇで、普通に受け取りました」

『……オモチャだと思ってるわけじゃねぇよな？』

「ええ、ええ！　あの小僧、ちゃんと解った上で、丁寧《ていねい》に『ありがとうございます』なんてペコリと頭下げて、何事も無かったみてぇに世間話《せけんばなし》を始めやがりましたよ！」

『……なるほど、そりゃ、壊《こわ》し屋の手前が気に入るわけだ』

納得《なっとく》したような息づかいの後、青崎は、凶悪《きょうあく》な笑みを感じさせる調子で重々《おもおも》しい言葉を口にする。

『まともなまま、そんなにぶっ壊れちまってんならな』

更《さら》に数分会話し、青崎が通話を切った事を確認してから、泉井は携帯《けいたい》をスーツの男に返した。

すると、スーツの男が尋《たず》ねてくる。

「随分《ずいぶん》と、殊勝《しゆしよう》になったじゃねぇか。普段《ふだん》あんなにイカれてる手前《てめぇ》が、青崎《あおざき》のオジキの前じゃ、まるで借りてきた猫《ねこ》だぜ」

まだ下《した》っ端《ぱ》と思《おぼ》しき粟楠会《あわくすかい》の構成員《こうせいいん》。

その挑発《ちようはつ》するような言葉にも、泉井《いずみい》は特に表情を変えなかった。

「……俺《おれ》は、本当に強い奴《やつ》にゃ、敬意《けいい》を示しますよ。どんな形だろうと、強《つえ》ぇ人には憧《あこが》れるってもんでしょう」

「はっ！　手前がそういう柄《がら》かぁ？　女攫《さら》ったり数集めて闇討《やみう》ちとかばっかの手前がよぉ」

「それで勝てりゃ、それも強さでしょう」

「負けてるじゃねえか。今日《きよう》も、どっかの馬の骨に胸骨《きようこつ》にヒビ入れられたんだろ？」

泉井の取り巻きの誰《だれ》かから聞いたのか、夕方の喧嘩《けんか》の情報を耳に入れているらしい。

男の言葉に、泉井は無表情のまま言葉を返す。

「あの野郎《やろう》は、いつか潰《つぶ》しますよ。門田《かどた》の野郎と同じ匂《にお》いがして気にくいませんからね」

すると、若い構成員はやや高圧的に笑いながら、泉井に言った。

「俺にも敬語《けいご》使うってこたぁ、俺の事も強ぇって認めてるって事だよなぁ」

上機嫌《じようきげん》に笑う構成員に、泉井は口の端《は》を歪《ゆが》め、言った。

「当然ですよ」

その笑《え》みを見て、構成員は僅《わず》かに身を固まらせる。

「青崎さんの強さは、暴力《ぼうりょく》だけじゃない。粟楠会の組織力《そしきりょく》も、金も、権力も、使えるもんを全部使ってるからだ。あんたも、その『力』のうちなんすからね」

「……」

「つまり、あんたも、青崎さんと粟楠会の一部って事だ」

禍々《まがまが》しく乾いた泉井の笑顔を前に、構成員は自らの笑顔を消し去った。

「てめえ、俺を……なんだと……」

「違うんすか？　あんたは、青崎さんの手足じゃあない、そう言うつもりですか？」

そんな事を下手《へた》に答えて青崎に伝えられては、自分の立場が危うくなる。

本来なら鼻骨《びこつ》の一つでもへし折って上下関係を解《わか》らせる所だが、若い構成員は、身動きする事ができなかった。

ここで下手な答えを返して、自分が青崎の力の一部ではないと判断《はんだん》されたら——この泉井という男は、何の躊躇《ためら》いもなく自分を壊《こわ》しに掛かるだろう。

そんな、確信にも近い予感が男の背骨を貫《つらぬ》いたからだ。

黙《だま》りこくったままの男の答えを数秒待っていたが、泉井はやがて前を見ながら、半分独《ひと》り言《ごと》のように、虚空《こくう》に向かって語り続ける。

「……まあ、俺が敬意はらうほど強ぇ野郎なんて、青崎さんを抜きゃ二、三人ってとこですよ。

総合格闘技《そうごう》の無差別級《むさべつ》チャンプのトラウゴットや、あのバーテン野郎《やろう》。あとは、今は丸くなっちまいましたけど……」

泉井《いずみい》は、そこで言葉を切った。

最後に言おうとした男の名前は、結局口にしないまま胸の奥にしまい込む。

その男の名前を出すと、青崎《あおざき》とその部下が不機嫌《ふきげん》になると知っていたからだ。

♂♀

歩道橋《きよう》

泉井を乗せた車が走り去った後、繁華街《はんかがい》から遠く離れた夜の道路に、蒸《む》した空気と静寂《せいじゃく》だけが残される。

だが、その静寂を破る形で、男の声が道路の上に小さく響《ひび》く。

「……もしもし、動きがありました」

道路をまたぐ頑丈《がんじょう》な歩道橋。

その上に立っていたホストのような黒スーツを纏《まと》う男が、携帯《けいたい》電話に語りかける。

「青崎さんの所で使ってる車です。泉井の野郎、自分から乗り込みましたよ」

その後、暫《しばら》く電話の向こうと会話を続け、男は通話相手の名前を口にした。

「はい……赤林《あかばやし》さんの読み通りでしたね」

♂♀

都内某所《ぼうしょ》　タクシー車内

「了解《りょうかい》了解、そっちはおいちゃんの方で何とかするから、君らはあれだ。そのまま竜ケ峰《りゅうがみね》君達を見といてくれるかな」

タクシーの後部《こうぶ》座席で、色眼鏡《いろめがね》と顔の傷が特徴《とくちょう》的な粟楠会幹部《あわくすかいかんぶ》――赤林が、堂々《どうどう》と子飼いの暴走族《ぼうそうぞく》『邪《ジャ》ン蛇《ジャ》カ邪《ジャ》ン』の面子《メンツ》に指示《しじ》を出す。

そのまま電話を切った所で、小さく笑いながら溜息《ためいき》をついた。

――やれやれ。青崎の旦那《だんな》にも参《まい》ったね。

――内輪《うちわ》もめしてる場合じゃないと思うんだがなあ。

――何を持ちかけて、竜ケ峰君がどう答えたかってのは気になるな。

——どうしたもんかね。こっちも動いた方が……。

考え込んでいると、タクシーの運転手が声を掛けてくる。

「お客さん、目、大丈夫《だいじようぶ》っすか？」

「え？」

言われて、赤林《あかばやし》は自分がサングラスを外して右目を押さえている事に気が付いた。

そこで初めて、右目の周りに痒《かゆ》みとも痛みとも違う、妙《みよう》なもどかしさがある事に気付く。

どうやら自然と目の周りに手をやっていたらしい。

「ああ、ちょっと疲れ目でね」

「そうなんですか、私も歳《とし》とってから目がすっかり疲れやすくなっちまってね」

「まあねえ。歳にゃ勝てないって奴《やつ》さ。徹夜《てつや》でパソコンだのゲームだのができる若い連中《れんちゆう》が羨《うらや》ましいよ」

世間話《せけんばなし》に興《きよう》じながら、赤林は右目の違和感《いわかん》に意識《いしき》を向けた。

まるで、古い疵痕《きずあと》から小さな囁《ささや》きが聞こえて来るような感覚。

——こいつは……。

——半年前の切り裂《さ》き事件の時も、似たような感じだったな。

リッパーナイトとマスコミに渾名《あだな》された、池袋《いけぶくろ》を中心とした連続切り裂き事件。

その時にも、同じような疼《うず》きを感じた記憶《きおく》がある。

――……。

――あの『刀』が、どっかで暴《あば》れてんのかねぇ。

かつて自分の右目を切り裂いた『妖刀《ようとう》』の事を思い出し、赤林は妙な胸騒《むなさわ》ぎを覚えた。

――俺《おれ》が思ってるより、厄介《やっかい》な状況になってるのかもな。

僅《わず》かに表情を引き締め、今後について改めて思案《しあん》を巡らせる。

彼は、知らなかった。

罪歌《さいか》同士で共鳴《きょうめい》したのか、はたまた完全なる偶然《ぐうぜん》か――

自分の乗ったタクシーから僅《わず》か数百メートル離れた場所で、鯨木《くじらぎ》の『罪歌』が巨大《きょだい》な網《あみ》と化し、異形《いぎょう》と化したセルティと鎬《しのぎ》を削《けず》っていたという事を。

園原杏里《そのはらあんり》の持つ罪歌にも、僅かな変化が起こりつつあったという事を。

そして現在――

池袋の街の中で、大量の『罪歌』の『孫《まご》』が生まれつつあったという事も。

♂♀

杏里のアパート

「……」

「どうしたの？」

今後について話し合っていた杏里《あんり》が突然《とつぜん》動きを止めた為《ため》、沙樹《さき》が心配そうに顔を覗《のぞ》き込む。

「いえ……大丈夫《だいじょうぶ》です、少し寒気《さむけ》がしたので……」

「風邪《かぜ》？」

「あ、すいません。もう大丈夫だと思います」

「そっか、じゃあきっと、武者《むしゃ》震いって奴《やつ》かもね」

ゆるりとした調子で笑う沙樹に、杏里は笑顔を返した。

だが、その顔の裏側で、妙《みょう》な不安が心の奥を締め付ける。

今しがた動きを止めたのは、罪歌《さいか》の呪《のろ》いの声がハウリングを起こしたような、奇妙《きみょう》で耳障《みみざわ》りな感覚だった。

どうやら、他の罪歌に共鳴《きょうめい》したらしい。贄川春奈《にえかわはるな》の罪歌の刃《やいば》を受け止めた時等にも、同じような底気味《きみ》の悪さを感じた事がある。

――他の『罪歌』の気配《けはい》を、こんなに強く感じるなんて……。

明らかに、昨日《きのう》までは無かった兆候《ちょうこう》だ。

最近『罪歌』に変化はあったが、もっと緩やかなものだった筈《はず》である。

急激に『罪歌』の気配に敏感《びんかん》になったとすれば、日中《にっちゅう》に、鯨木《くじらぎ》という女性が持っていた別の『罪歌』の本体と接触《せっしょく》した事が原因かもしれない。

そんな事を考えていた杏里だが、何故《なぜ》このタイミングで強く気配を感じたのかが解《わか》らず、心の中で戸惑《とまど》った。

――贄川さんか鯨木さんに、何かが……？

しかし、その内情を沙樹に言うわけにも行かず、杏里は誰《だれ》にも言えぬまま、奇妙な胸騒《むなさわ》ぎを抱え込む事となった。

彼女は不安を紛《まぎ》らわせる為《ため》に、とりあえずの解決方法を心に思い浮かべる。

――後で、セルティさんに相談してみよう。

そのセルティが、現在『罪歌』と運命を絡み合わせているとも知らぬまま。

♂♀

廃《はい》工場
「ところでよ、さっきから時々話に出て来てたアンリちゃんって、ソノハラアンリちゃん？」

正臣《まさおみ》が廃《はい》工場から黄巾賊《こうきんぞく》のメンバーの安否《あんぴ》を確認《かくにん》しようとしていた所で、ふと、千景《ちかげ》がそんな事を言い出した。

「……え？　杏里《あんり》を知ってるんすか？」

話の中では『杏里って友達が』としか言っていなかった為《ため》、園原《そのはら》という名字《みようじ》が出た事に驚く正臣。

すると、千景は確認するように言葉を紡《つむ》ぐ。

「眼鏡《めがね》の可愛《かわい》い子だろ？」

「ええ」

「こう、胸がすっげえ子」

「そう！　そうです！　なんで知ってるんすか!?」

自分の胸の前で山をつくるジェスチャーをする千景を見て、それが確実に自分の知っている園原杏里だと確信する正臣。

「剣道《けんどう》だか居合《いあい》だかやってる子だろ？」

「……？　いや、それは初耳《はつみみ》っすけど」

言いながら、正臣は日本刀《とう》を持った杏里の姿《すがた》を視界《しかい》の端《はし》に捉《とら》えていた事を思い出す。

そして、恐らくは、それが杏里の抱える『秘密《ひみつ》』なのだろうという事も。

「あー……まあ、それはともかく、なんで知り合いなんすか？」

「おお、前にちょっと会ってな。昼間もほら、エリちゃんと一緒《いっしょ》に居たぜ。病院で」

「エリちゃん？」

唐突《とうとつ》に出て来た女性名に戸惑《とまど》う正臣。

杏里のクラスメイトにそんな名前の子がいたような気がすると思いかけた所で、千景がその女性の名字を口にした。

「あれ？　お前、門田《かどた》の旦那《だんな》と知り合いなんだよな？　だったら、狩沢絵理華《かりさわえりか》っていう黒髪《くろかみ》の娘《こ》、知らねえか？」

「！　狩沢さん!?　なんで狩沢さんとも？」

「まあ、色々あってな。そうか、あの優等生《ゆうとうせい》委員長ちゃんって感じの子かぁ。あんな子とお友達だなんて羨《うらや》ましいなあこの野郎《やろう》。だが、俺《おれ》のハニー達も可愛いぞ。羨ましいか？」

千景は妙《みょう》に誇らしげに言うと、ふと真剣な顔をして正臣に問う。

「竜ケ峰《りゅうがみね》に会いに行く前によ。杏里ちゃんとはなんも話さなくていいのか？」

「それは……」

少し迷った後で、正臣は答えた。

「いえ、杏里は何も知らないままの方がいいと思うから、俺と帝人《みかど》でケリをつけた後に、二人で笑いながら会いに行きますよ」

「何も知らないままねえ」

僅《わず》かに肩を竦《すく》めた後、千景《ちかげ》は正臣《まさおみ》を見てニヤリと笑う。

「あんまり、女の子を甘く見ない方がいいぜ？」

「え？」

「女ってのは、俺《おれ》らよりずっと強くて、何でも知ってるもんだ。どんなに浮気《うわき》を隠《かく》しても、簡単に見破っちまう。だからまあ、俺は最初から隠さない事にしてるんだが」

「それはそれで最低だなオイ」

何故《なぜ》こんな男がモテるのだという正臣の視線を受け流し、千景は更《さら》に続けた。

「ま、杏里《あんり》ちゃんを蚊帳《かや》の外にするのはお前の自由だけどな。気を付けろよ」

「今時の女の子は、蚊帳なんざ簡単に切り裂《さ》いちまうもんなんだぜ？」

♂♀

廃《はい》ビル

ノートパソコンで様々《さまざま》な情報を整理している帝人《みかど》。

時折《ときおり》ネットの掲示板《けいじばん》やＳＮＳなども巡回《じゅんかい》しつつ、

「さっき、兄貴《あにき》と何の話をしてたんですか」

青葉《あおば》の問いに、帝人はあっさりと答える。

「うん。色々と話したよ。君の事を宜《よろ》しく頼むって言ってた」

「いや、そりゃ嘘《うそ》でしょう。あの兄貴が……」

「羨《うらや》ましいよ。僕は一人っ子だったからさ。兄弟がいるって、いいなって思ったよ」

「止《や》めて下さいよ。あんな兄貴、居ない方がマシですって」

すると帝人は、笑いながらも、戒《いまし》めるように言う。

「駄目《だめ》だよ、お兄《にい》さんの事をそんな風《ふう》に言っちゃ」

「……はぐらかさないで下さい。あの兄貴が、ただ世間話《せけんばなし》をしに来たとは思えない」

「そうだね、大事な事も話したから、青葉君には話しておくよ。ちょっと待ってね、もう少しで掲示板のチェックが終わるから……」

パソコン画面に向き直り、ネットの巡回の速度を上げる帝人。

そのまま、巡回はいつも通りつつがなく終了すると思われた。

ところが、そんな作業の中、帝人はとある『異変《いへん》』に気付く。

「あれ？　……。……え？」

あるブックマークをクリックし、画面が切り替わった瞬間《しゅんかん》、突然《とつぜん》帝人の表情が険しくなった。

「……？　帝人先輩《せんぱい》？」

「なんだろう……これ……」

ここまで純粋《じゆんすい》に帝人《みかど》が顔を曇らせるのも珍《めずら》しいと思い、青葉《あおば》はその画面を後ろから覗《のぞ》き見た。

すると、そこに映っていたのは――

青葉も見知ったチャットルームの中で、帝人の本名《ほんみよう》が連呼《れんこ》されている光景《こうけい》だった。

チャットルーム

田中太郎《たなかたろう》さんが入室されました。

・・・

田中太郎【こんばんは】
矢霧波江《やぎりなみえ》【来たな竜ヶ峰帝人《りゅうがみねみかど》】
田中太郎【私は田中です。人違《ひとちが》いじゃないですか】
田中太郎【どういうつもりですか】
矢霧波江【うるさい黙《だま》れ】
狂【無駄《むだ》ですよ田中太郎さん。この方、甘楽《かんら》さんを通して全て御存知《ごぞんじ》のようですから】
参【おしまいです】
矢霧波江【いいから、ダラーズでもなんでも今すぐ動かして、鯨木《くじらぎ》かさねと岸谷新羅《きしたにしんら》を探せ。
矢霧清太郎《せいたろう》が全部の黒幕《くろまく》だから、私にやったみたいにダラーズを動かして潰《つぶ》せ。粟楠会《あわくすかい》も首無《くびな》

しライダーも平和島静雄《へいわじましずお》も臨也《いざや》の馬鹿《ばか》も、全部お前と繋《つな》がっている】
狂【こんな事を言うのもなんですけど、このチャット、もうおしまいですわね】
参【かなしいな】
参【さみしいな】
田中太郎《たなかたろう》【何を言ってるのか解《わか》りません。鯨木《くじらぎ》って誰《だれ》ですか。一体何《なに》を企《たくら》んでいるんですか】
矢霧波江《やぎりなみえ》【企んでいるのはお前の方だろう。どういうつもりだ】
矢霧波江【お前はどうして周りを見ようとしない】
矢霧波江【私は状況を終わらせたいだけだ。協力しろ】
矢霧波江【お前は何も知らないくせに、全ての事件に繋がってる】
矢霧波江【自覚しろ。お前が鍵《かぎ》だ】
矢霧波江【全てを手っ取り早く終わらせるには、お前が全てを知るべきだ】
田中太郎【やめてください】
狂【あらあら、これは本格的に口を出さない方が良い感じがしてきましたわ。純粋《じゅんすい》100%さんの言っていた事はこの事だったのかしら】
参【青葉《あおば》君、大丈夫《だいじょうぶ》かな】
田中太郎【なんで青葉君の名前が】
矢霧波江【純粋100%は黒沼《くろぬま》青葉だ】

矢霧波江【他の奴《やつ》の本名《ほんみょう》も全部言《い》おうか】
田中太郎【止《や》めて下さい！　何が目的なんですか！】
矢霧波江【私は、使える手は全て使うだけだ】
矢霧波江【あの首《くび》無《な》しの化け物はどこにいる】
矢霧波江【お前の彼女の園原杏里《そのはらあんり》もだ】
矢霧波江【あの女が化け物だって知ってるだろ】
矢霧波江【日本刀《とう》を持ったあの女を見た事が一度はある筈《はず》だ】
矢霧波江【切り裂《さ》き魔《ま》の事件の時、あの女が何をしたか教えてやろうか】
狂【次から次へと個人情報が流れていきますわね。なんだか、人間関係で荒れているゲームセンターに置かれた御客様《おきやく》ノートのような空気ですわね。私は嫌《きら》いではありません事よ？】
参【怖《こわ》い】
田中太郎【いいかげんにして下さい】
田中太郎【この場所を壊《こわ》さないで下さい】
矢霧波江【とっくに壊れてるだろ。認めろ】
矢霧波江【お前が壊したんだろうが】
矢霧波江【私の研究チームを壊したみたいに】
田中太郎【やめて】

田中太郎《たなかたろう》さんが退室されました。

矢霧波江《やぎりなみえ》【逃げるな】

狂【そりゃ逃げますわ】

参【怖《こわ》いよう】

狂【こんな事を言うのはなんですけど……言葉も支離滅裂《しりめつれつ》ですし、波江お姉様《ねえ》、典型的《てんけい》な『ネットでブログとかやっちゃいけないタイプの痛い人』になってましたわよ。まさか波江お姉様がそのタイプだとは、本当にネットと現実の関わりとは不思議《ふしぎ》なものですわね】

矢霧波江【黙《だま》れ】

矢霧波江【逃げるな、竜ケ峰帝人《りゅうがみねみかど》】

矢霧波江【お前は私に言った筈《はず》だ】

矢霧波江【現実だからこそ、ハッピーエンドを求めると】

矢霧波江【あんな綺麗《きれい》ごとを言って、私の人生を台無《だいな》しにしたんだ】

矢霧波江【それを忘れるな】

矢霧波江【今さら、ハッピーエンドを望まないなんて言い出すな】

矢霧波江【過去の自分の言葉にぐらい責任を取れ】

矢霧波江【聞いているのか】

矢霧波江【お前が来るまで、ここを荒し続けるぞ】

矢霧波江【覚悟《かくご》しろ】

狂【……これはとんだ厄介《やっかい》さんですわね】

参【やっかいやっかい】

・　・　・

九章
犬猿も啻ならず

Dhurarara!! 12 Ryohgo Narita Na-9-45

『それでは、次のニュースです。政治家の乙野辺《おとのべ》尊《たける》氏と大手《おおて》出版社、新聞社との間で長年行われていた裁判《さいばん》ですが、本日《ほんじつ》午後、合同《ごうどう》記者会見が行われ、双方《そうほう》の弁護士《べんごし》から正式に和解《わかい》が発表されました。この裁判は――』


テレビの中で、アナウンサーがいつも通りの声でニュース原稿《げんこう》を読み上げている。

ベランダのガラスが割れた事で、風通しの良くなった新羅《しんら》のマンション。

散乱《さんらん》したガラスは皆の手で片付けられ、現在は破壊《はかい》の跡は半分以上《いじょう》消えていた。

そんな空気の中、渡草《とぐさ》は夏の夜の生ぬるい風に吹かれながら、ソファに座ってテレビのニュースを眺《なが》めている。

高層階《こうそうかい》の騒《さわ》ぎに気付かれなかったのか、警察がやってくる事は無かった。

さりとて安心できる筈《はず》もなく、渡草は自分なりに情報を集めようと携帯《けいたい》を弄《いじ》りながらテレビのニュース番組をチェックしている。

本来ならば室内にあったパソコンでチェックした方が早いのだが、セルティも新羅《しんら》も部屋から消えてしまった以上、勝手《かって》に使うのは気が咎《とが》めた。

しかし、目を醒《さ》ました矢霧波江《やぎりなみえ》は状況を聞かされると、なんの躊躇《ためら》いもなくセルティのノートパソコンを開き、何かをカタカタ打ち込んでいる。

何をしているのか尋《たず》ねようかとも思ったが、鬼気《きき》迫る空気を纏《まと》った波江に気圧《けお》され、渡草《とぐさ》はこうして少し離れた居間で情報を漁《あさ》る事にしたのだ。

『――乙野辺《おとのべ》氏は「自分と家族から失われた人生は戻らないが、この先の時間に目を向けていきたい」とコメントしています。それでは、次のニュースです』

「まだ、街で怪物《かいぶつ》が暴《あば》れてる、ってニュースはねえな……」

とりあえず安堵《あんど》した渡草だったが――

『……速報です。東京都豊島区西池袋《としまくにしいけぶくろ》の路上《ろじょう》で、警察《けいさつ》関係の車両《しゃりょう》が何者かに襲撃《しゅうげき》されたという情報が入りました』

地元のニュースを見て、携帯《けいたい》を動かす手をピタリと止めた。

「あぁん？」

まさか、異形《いぎょう》と化したセルティが警察の車を？

そんな不安に駆《か》られた渡草だったが、ニュースの内容を聞くと、どうも爆発物《ばくはつぶつ》か何かで襲撃されたらしい。

乗っていた警察関係者は無事だったようだが、運んでいた証拠品《しょうこひん》の一部が奪《うば》われたらしい。

携帯からニュース関連のサイトを見ると、どうやら暫《しばら》く前から、池袋で何かあったらしいと騒《さわ》ぎになっていたようだ。恐らくは、その襲撃事件とやらの現場《げんば》近くにいた者達がネットに情報を流したのだろう。そんな流れの中、今のニュースで知ったらしい者達が次から次へと話に加わり、雑多《ざった》なコメントを書き込み始めている。

その中で特に目立ったのは、『盗《と》られたのって、昼間の首じゃないか？』という推測《すいそく》だった。いくつか散見《さんけん》されていたその手の呟《つぶや》きが呼び水となり、わずか数分の間で、『まるで生きているかのような謎《なぞ》の首が、謎の人物に奪われた』という、オカルト要素も交えた騒ぎに発展してしまう。

元々、夕方から『首無《くびな》しライダーの首ではないか？』という噂《うわさ》があった為《ため》、中には『首無しライダーが、自分の首を取り返したんだ』と推測している者まで存在した。

「……マジで、どうなってんだこりゃ」

すると、いつの間にか後ろに立っていた遊馬崎《ゆまさき》が、興奮《こうふん》して拳《こぶし》を握りしめる。

「いよいよ、池袋が魔界都市《まかいとし》池袋になるって事っすよ！　運命の七日間の始まりっす！　俺《おれ》の携帯電話かゲーム機に悪魔召喚《あくましょうかん》プログラムがダウンロードされて、めくるめくサバイバルライフの始まりっす……！　レッツサバイヴ！」

また何かのアニメか漫画《まんが》に影響《えいきょう》されたのだろう。渡草はそんな風《ふう》に興奮《こうふん》する遊馬崎から目を逸《そ》らし、ベランダに立つ矢霧誠二《やぎりせいじ》と美香《みか》に目を向けた。

二人は未《いま》だに街の様子《ようす》を窺《うかが》っており、その光景《こうけい》だけを見れば、まるで恋人同士《どうし》で町の夜景《やけい》を眺《なが》めているようにも見える。

それが気にくわないのか、波江《なみえ》は基本的にパソコン画面に目を向けているが、時折《ときおり》振り返っては、ベランダの二人を順番《じゅんばん》に凝視《ぎょうし》していた。

美香を見る時には殺意《さつい》の籠《こ》もった憎《にく》しみの目。

誠二を見る時は慈愛《じあい》も混じった愛欲《あいよく》の目。

目まぐるしく表情を変える波江を見て、渡草は『関わり合いにならない方が良さそうだ』と判断《はんだん》する。

エミリアは基本的に落ち着いているが、ニコニコ笑っているだけなので、もしかしたら状況を全く理解していないのではないかと逆に不安になる。

一番頼《たよ》りになりそうだったエゴールというロシア人は、岸谷森厳《きしたにしんげん》を探しに行くと言って外に出て行ってしまっている。

「もしかして、この場で一番まともなのって……俺《おれ》か？」

家主《やぬし》が二人とも姿《すがた》を消したマンション内という、完全にアウェーな状況の中、渡草は大きな溜息《ためいき》を吐き出した。

「勘弁《かんべん》してくれよ、ったく……」

──まあ、とりあえず門田《かどた》も目を醒《さ》ましたらしいしな。

──あとは、門田を撥《は》ねた奴《やつ》をシメればＯＫだ。

──どっからどこまで車で引き摺《ず》るかな……。

十分にまともではない事を考えていた所で、携帯《けいたい》電話の画面《がめん》が強制的《きょうせいてき》に着信《ちゃくしん》を知らせる画面に切り替わった。

画面に浮かぶのは、見知った者の名前。

渡草が通話ボタンを押した所で、耳に当てる前から騒《さわ》がしい声が響《ひび》いてきた。

『もしもし!?　とぐっちゃん!?　私！　私！』

着信画面に表示《ひょうじ》されていた通り、狩沢《かりさわ》の声が渡草の鼓膜《こまく》を震わせる。

だが、その様子《ようす》はどこかおかしい。

先刻連絡《せんこくれんらく》が来た時は、門田が目を醒ましたという喜びの悲鳴だったが、今の声からは、純粋《じゅんすい》な焦《あせ》りが感じられる。

「おい、どうしたんだよ！　落ち着け」

『ドタチンが……ドタチンが……』

「……門田がどうしたんだよ！」

まさか容態《ようだい》が急変《きゅうへん》したのではないかと不安になり、思わず声に力が籠《こ》もった。

「……何事っすか？」

その声を聞いた遊馬崎《ゆまさき》も、部屋の隅《すみ》で踊《おど》っていた妙《みょう》なダンスを止《や》め、表情を消しながら渡草《とぐさ》に近づいて来る。

『今、ドタチンのお父《とう》さんから電話があって……』

狩沢《かりさわ》の言葉がそこで一旦《いったん》止まり、続いて、より一層《いっそう》大きな声がスピーカーから響《ひび》き渉《わた》った。

『置き手紙して、病院から抜け出したって……歩くのも無理《むり》だって言われてたのにだよ⁉』

『どうしよう、ドタチン、きっと一人で轢《ひ》き逃げした奴《やつ》とケリをつけに行っちゃったんだよ！』

♂♀

池袋某所《いけぶくろぼうしょ》

時間は、暫《しば》し遡《さかのぼ》る。

路地《ろじ》と路地の間を、黒と白のコントラストが駆《か》け抜ける。

その上に繋《つな》がる金色《きんいろ》の髪《かみ》が、闇夜《やみよ》の中で一際派手《ひときわはで》に浮かび上がった。

周囲の光すら吸い込む、完全な漆黒《しっこく》を纏《まと》った一台の自転車。

それに股《また》がる、バーテン服の男――平和島静雄《へいわじましずお》。

ロデオのような衝撃《しょうげき》が身体《からだ》を襲《おそ》う中、無茶《むちゃ》な体勢になろうと手を離す事なく、彼は力尽《ず》くで影の自転車――シューターを乗りこなす。

自転車に変化するのが初めてだったせいか、最初は走り方も荒々しく、どこか拙《つたな》さを感じさせていた。

しかし現在は、まるで一つの生き物のように見事な連携《れんけい》を見せている。

静雄がその怪力《かいりき》でペダルを踏むごとに、シューターのギアから黒い影が溢《あふ》れ出し、地面の凹《おう》凸《とつ》を捉《とら》えながら効率《こうりつ》良く走る。

いくつもの角《かど》を曲がり、時にはビルに影を絡ませて壁面《へきめん》を走行しながら、シューターは夜の街をただひたすらに駆け続けた。


そして、10分程《ほど》走った頃《ころ》だろうか。

静雄の耳に、奇妙《きみょう》な金擦《かなず》れ音が聞こえて来る。

「……あぁ?」

音が聞こえた瞬間《しゅんかん》、シューターの影が一際《ひときわ》強くざわめいた。

「なんの音だ？　こりゃ」

そのまま進もうとしたのだが、道路の先に厄介《やっかい》なものが見えた為《ため》、静雄《しずお》は一旦《いったん》ペダルを漕《こ》ぐ足を止める。

「おい、ちょっと止まってくれ」

シューターが速度を緩めたのを確認《かくにん》し、静雄は改めて、道路の反対側に目を向けた。

道路工事《こうじ》と書かれた看板《かんばん》と、細い路地《ろじ》の入口を塞《ふさ》ぐカラーコーン。

そして、その前に立ち並ぶ作業服姿《ふくすがた》の男達だ。

しかし、彼らの様子《ようす》は些《いささ》か奇妙《きみよう》に見える。

実際に工事を始める様子《ようす》もなく、ただ、入口付近《ふきん》に立っているだけなのだ。

「なんか妙《みよう》だな」

金属が擦《こす》れる音は、明らかにあの路地の奥から聞こえて来る。

だが、工事をしている様子はない。

あからさまに異常な光景《こうけい》を前に、静雄はシューターのハンドルをトン、と指で叩《たた》いた。

「仕方ねぇ、裏から回ろう」

シューターは嘶《いなな》きにも似たベル音をヒルルルと鳴らし、勢い良くその身を夜に躍《おど》らせた。

一度工事の看板から離れる形で、区画《くかく》の反対側《がわ》まで回り込んだ静雄とシューター。

すると、その区画に入る為《ため》の全ての路地の入口に、先刻《せんこく》と同じような道路工事の作業員達《いんたち》がいる事が確認できた。

ここはオフィスビルが立ち並んでいる区画であり、夜も更《ふ》けた現在は人通りも少ない。

グルリと一周したが、全ての路地の入口は工事の看板によって塞がれていた。

途中《とちゅう》で場違《ばちが》いな高級車が数台路肩《ろかた》に止まっているのが気になったが、中に誰《だれ》も居なかった為、とりあえずは無視《むし》する事にした。

「……お前が行きたいのは、この先なんだな？　そうなら一回だけベルを鳴らしてくれ」

路地の見える位置から、静雄がシューターに確認する。

シューターがベルを一度だけ鳴らしたのを聞くと、静雄は小さく呼吸を整え、首を左右にゴキゴキとならした。

「しょうがねえ。ビルをよじ登ってみるか」

とんでもない解決《かいけつ》方法を口にするが、元々《もともと》静雄一人《ひとり》でもビルを外壁《がいへき》から登る事は可能だろう。

その上、現在はある程度《ていど》壁も走行できるシューターも一緒《いっしょ》なのだ。本来の乗り手であるセルティが居ないとは言え、協力すれば急いで登る事もできるだろう。

なるべく目立たない箇所《かしょ》から登ろうと、周囲のビルを見始める静雄。

しかしその時、ふと、作業員達の一人が、静雄の方に気付く。

すると次の瞬間《しゅんかん》、彼らが一斉《いっせい》にこちらに目を向けてきた。

「やべえな」

静雄《しずお》は怪《あや》しまれぬよう、一旦《いったん》別の場所に移動する事も考えたのだが——

作業員達《いんたち》の『目』を見て、動きを止める。

最初は、立ち入り禁止の看板《かんばん》の横にある警告《けいこく》ランプの影響《えいきょう》かとも思った。

しかし、近くの外灯《がいとう》に照らされた部分にも、明確な異常がある。

作業員達の目は——全て、白目が赤く染まっていた。

静雄は、その目を何度か見た事がある。

リッパーナイトと呼ばれた夜の公園で。

そして、つい数《すう》時間前《まえ》まで勾留《こうりゅう》されていた、警察署《しょ》の内部で。

「そうか……なるほどな。セルティは、『こいつら』になんかされたってわけか」

状況を理解した静雄は、数秒冷静《れいせい》に頷《うなず》いた後、シューターに告げる。

「……セルティは、俺《おれ》の大事《だいじ》な友達なのになぁ」

その声の奥に、押し固められたマグマの如《ごと》き怒気《どき》を感じ、シューターだけではなく、近づきつつあった作業員達も一瞬《いっしゅん》身体《からだ》を竦《すく》ませた。

「さあ……構うこたぁねえ……突っ切っちまおうぜ！」

静雄はそこで、勢い良くシューターのペダルに体重をかける。

そして、まるで地球を蹴《け》りつけるかのような勢いで、思い切りペダルを踏み込んだ。

シューターも、そんな静雄の怒りに応《こた》え、そのエネルギーを余す事《こと》無く地面へと伝わらせる。

刹那《せつな》——空母《くうぼ》のカタパルトによって発射《はっしゃ》される戦闘機《せんとうき》さながらの勢いで、静雄とシューターは路地裏《ろじうら》へと飛び込んでいった。

紙のように宙《ちゅう》を舞いながら気絶《きぜつ》した、『罪歌《さいか》』に操《あやつ》られる憐《あわ》れな男達を振り返る事もなく。

♂♀

路地裏

封鎖《ふうさ》された区画《くかく》の中央。

いくつかの細い路地が重なる形で、ビルの合間に存在する小さな小さな交差路《こうさろ》。

信号などはなく、交差する道の一方は、せいぜいバイクが通れるぐらいの広さしかない。もう一本の道は細身《ほそみ》の車なら通れるだろうが、元々車は進入《しんにゅう》禁止となっている区画である。地理《ちり》に詳しい者だけが、徒歩《とほ》や自転車で抜け道として使うような道だ。

元来《がんらい》人通りの少ない区画であり、ビルのいくつかはまだ建設途中《とちゅう》となっている。

ビルの一つには、建築用《よう》のクレーンが据《す》え付けられている状態だ。

だからこそ、鯨木《くじらぎ》はこの区画を『狩り場《かりば》』に選んだのだろう。

そして、現在は鯨木《くじらぎ》の『罪歌《さいか》』によって操《あやつ》られた者達により、周囲の広い道路を含めた区画《くかく》ごと『工事中《ちゅう》』という建前《たてまえ》で封鎖《ふうさ》されている。

警察が異常に気付き、上に確認《かくにん》すればすぐにバレそうなものだが、警察内部《ないぶ》の『罪歌』によって、実際にこの区画は『夜間《やかん》工事中』という事にされていた。

結果として、この区画の中央にある交差路《こうさろ》は、周囲の区画からも直接は視線が通らず、完全に街の中の隔絶《かくぜつ》された空間となっていたのである。

もっとも、その交差点《てん》の上空に浮かんでいるものを見れば、現実からすら隔離《かくり》された異《い》空間であると錯覚《さっかく》する者も現れるだろう。

路地《ろじ》に佇《たたず》んで上空を見上げる男——矢霧清太郎《やぎりせいたろう》も、そんな錯覚を覚える一人だった。

「これは……」

様々《さまざま》な感情を込めた声を漏《も》らし、それ以上の言葉を呑《の》み込む清太郎。

彼は頰《ほお》に薄く冷《ひ》や汗《あせ》を垂《た》らしながら、横に立つ鯨木に声を掛けた。

「確認するが、これが、あの首《くび》無しライダー……デュラハンの『身体《からだ》』の方なのかね？」

「その通りです。現在は理性《りせい》を失って『影』が暴走《ぼうそう》していますが、落ち着けば最初と同じく、人間と同じ形状の肉体に戻るかと」

「なるほど……しかし、ここまで変わるものかね」

清太郎は視線を再び頭上《ずじょう》に戻す。

本来ならば、ビルとビルの間から夜空が望める筈《はず》だった。

しかし、現在は、漆黒《しっこく》の奇妙《きみょう》な雲が、ビルの合間に敷《し》き詰められている状態である。

まるで、墜落《ついらく》しかけた黒い飛行船《せん》がビルの間に挟まってしまったかのような光景《こうけい》だ。

銀色《ぎんいろ》のワイヤーと化した『罪歌』が何重《いくえ》にもからみついて黒い雲を拘束《こうそく》しており、鯨木の手から離れた糸状《いとじょう》の刃《やいば》は、『影』と擦《こす》れてギチギチと奇妙な音を響《ひび》かせている。

「まさか、君が罪歌の飼《か》い主《ぬし》だったとはな。離してしまって大丈夫《だいじょうぶ》なのか？」

「手から離しても暫《しば》くは支配が効きます。このまま私が離れれば、刀の形状《けいじょう》に戻るでしょうが」

「私はそれを拾って帰ればいいのか？」

「あの拘束から解放された身体をどうにかできる手段があるのでしたら」

淡々《たんたん》と応《こた》える鯨木。

皮肉《ひにく》でもなんでもなく、事実を事実として述べているだけだろう。

清太郎は、それに答えぬまま手にしたライトを上に向けた。

ワイヤーの隙間《すきま》から時折《ときおり》突き出す影の槍《やり》が、ビルの壁をガリガリと削《けず》っているのを確認した清太郎は、肩を竦《すく》めながら鯨木に言う。

「やめておこう。森厳《しんげん》の手駒《てごま》に喰らった蹴《け》りがまだ腰に響《ひび》いてるんでね」

「賢明《けんめい》な判断《はんだん》かと」

淡々と答えた後、鯨木は今後の予定について説明し始めた。

「今、運び屋が『首』を持ってこちらに向かっています」

「ほう？」

「拘束《こうそく》したまま身体《からだ》に『首』を戻せば、理性《りせい》を取り戻すかと思われます。その後、再び罪歌《さいか》を使って『首』と身体を分断《ぶんだん》すれば、身体を手に入れる事は可能でしょう」

「……その場合、身体は本当に大人《おとな》しくなるのか？」

訝《いぶか》しげに問う清太郎《せいたろう》に、鯨木《くじらぎ》は肯定《こうてい》の言葉を返す。

「デュラハンにとって『首』は記憶の貯蔵庫《ちょぞうこ》です。過去の記憶《きおく》を取り戻せば、自動的に過去の人格《じんかく》を取り戻すでしょう」

「その場合、奴《やつ》が池袋《いけぶくろ》で過ごした『首無《くびな》しライダー』としての記憶はどうなる？」

「そこまでは解《わか》りません。何しろ、前例《ぜんれい》が少ないもので」

皆無《かいむ》、ではなく『少ない』と言った事が気に掛かったが、清太郎は特に追及《ついきゅう》せず独《ひと》り言《ごと》を吐き出した。

「なるほどな……記憶が消えていれば、調教《ちょうきょう》も洗脳《せんのう》もしやすいんだがな」

無《む》表情のままいかがわしい事を口走《くちばし》る清太郎。

鯨木は、それを聞いてほんの僅《わず》かに目を伏せた。

「……彼女の記憶が消えるのならば、私としても幸いなのですが」

小声《こごえ》でぼそりと呟《つぶや》かれた鯨木の言葉に、清太郎は眉《まゆ》を顰《ひそ》める。

「何故《なぜ》、君もそう思うのかね？　仮に私が逃がしてしまった時、復讐《ふくしゅう》されずに済むからか？」

無用《むよう》な心配だとでも言いたげな清太郎の言葉に、鯨木は無表情のまま正直に答えた。

「恋敵の記憶が消えるのは、私にとって都合がいいですから」

「？　？　？」

どういう事なのか、流石《さすが》に気になって尋《たず》ねようとした清太郎だが――


「しゃ、社長！」

路地《ろじ》の途中《とちゅう》で待機《たいき》させていた部下《ぶか》が、息せき切って駆《か》け寄ってくる。

今日《きょう》ここに連れてきているのは、矢霧製薬《やぎりせいやく》がネブラに買収《ばいしゅう》される前からの腹心《ふくしん》であった、裏の事業を知る面々《めんめん》だけだ。

だからこそ、それなりに肝《きも》の据《す》わった者達の筈《はず》なのだが、その表情を見るに、軽い恐慌《きょうこう》状態に陥《おちい》っているようだ。

「どうした。首が届いたのか？」

今さら生首《なまくび》を見た程度《ていど》で怯《おび》えるとも思えないし、そもそも鯨木の手配《てはい》した運び屋が首を素《す》のまま持ち運ぶマヌケとも思えない。

明らかに違うと解る事を確認《かくにん》する事で、部下を一度《いちど》落ち着かせようとしたのだが――そんな手法《しゅほう》も通じないほど、部下の男は強く怯えているようだった。

「社長、妙《みよう》な奴《やつ》が……！　妙な奴が急に路地《ろじ》に突っ込んできて……！」

そこで、清太郎《せいたろう》と部下《ぶか》の男、鯨木《くじらぎ》は同時にその『嘶き《いなな》』を耳にした。

自転車のベルにも似た、可愛《かわい》らしい何かの『嘶き』を。


【Lrrrrrrrrrrrrrrrrrrrrr――――】


「これは……」

――まさか、コシュタ・バワー？

――主人を追ってきたのか？

鯨木はその嘶きを聞き、即座《そくざ》に頭上《ずじよう》を見上げる。

すると、それまで闇雲《やみくも》に蠢《うごめ》いていた黒い影の塊《かたまり》が、その動きを僅《わず》かに鈍らせているのが確認《かくにん》できた。

――理性《りせい》を取り戻した？

その可能性を考え警戒《けいかい》したが、何か新しい動きをみせる様子《ようす》はない。

「……」

だが、油断《ゆだん》はできない。

『首』と同じように、コシュタ・バワーもデュラハンという妖精《ようせい》を構成する重要な存在だ。

単体《たんたい》で何かできるとは思えないが、警戒する必要はある。

ワイヤーと化した罪歌《さいか》の一部を手に戻すべきかどうか。

迷ったのは、僅か一秒足らずだったが、思案《しあん》はその時点で無理矢理《むりやり》中断《ちゅうだん》させられる。

手にスタンガン付き警棒《スタンロッド》を握った清太郎の部下の一人が、少し先にある路地の角《かど》から勢い良く射出され、ビルの壁に叩《たた》きつけられたのだ。

そのまま意識《いしき》を失い、ズルリと壁から落ちるスタンロッドの男。

「は……？」

あまりと言えばあまりの光景《こうけい》に、清太郎はただ眉《まゆ》を顰《ひそ》める事しかできなかった。

「ひいっ！　く、来る！」

部下の男は悲鳴をあげ、そのまま清太郎と鯨木の横を通り過ぎて走り去ってしまった。

「おい、待て！　何が来るというんだ！」

清太郎が怒鳴《どな》りつけるが、部下はそのまま反対側の路地の角へと消えてしまう。

「くそ、役立たずが……」

舌打《したう》ちをした後、背に冷《ひ》や汗《あせ》を掻《か》きながら、もう一人の部下が倒れている方に目を向ける。

彼が人間大砲《たいほう》のような勢いで射出《しゃしゅつ》された路地に、一体何《なに》が居るというのだろうか？

清太郎は、自分達の上に途轍《とてつ》も無い『異形《いぎょう》』が存在しているにも関わらず、得体《えたい》の知れない闖入者《ちんにゅうしゃ》に底知《そこし》れぬ不安を感じ始めていた。

そして、次の瞬間《しゅんかん》——

鯨木《くじらぎ》と清太郎《せいたろう》の視線の先に、『それ』が姿《すがた》を現した。


自転車に乗って緩やかに角《かど》を曲がってくる、バーテン服を着た男の姿を。


「……あ？」

かつて社長だった男の口から、存外《ぞんがい》に間の抜けた声が漏《も》れ出した。

それ程《ほど》までに、想定外《そうていがい》のものが現れたのである。

「おい、鯨木君……あれは何かね？」

すると鯨木は、全く表情を変えぬまま、答えた。

「どちらの事でしょう？　自転車の事ですか。それとも、騎乗《きじょう》している男性の事でしょうか」

「両方に決まってるだろ！」

「……自転車は、恐らくコシュタ・バワー。乗り手は、平和島静雄《へいわじましずお》」

「？」

あっさりと個人の名前が出て来た事で、清太郎は困惑《こんわく》する。

そんな彼に対し、鯨木は、過不足《かふそく》無いもっとも単純明快《めいかい》な説明を口にした。

「私の知る限り、最も人間離れした、ただの人間です」

シューターをゆっくりと漕《こ》ぎながら、静雄は前方に目を凝《こ》らす。

ライトを持った初老《しょろう》の男が一人と、眼鏡《めがね》をかけた秘書風《ひしょふう》の女が一人。

「……おい、手前《てめえ》らも、今俺《おれ》らに殴《なぐ》りかかって来たタコどもの仲間か？」

静雄は、コメカミを僅《わず》かにひくつかせながら、交差路《こうさろ》に立つ男女に尋《たず》ねかけた。

すると、シューターが自らの意志《いし》で車体を動かし、僅かにウイリーしようとする。

「おいおい、なんだ急に……あ？」

そして、静雄は見た。

狭い交差路の上空、ビルとビルの狭間《はざま》に、黒く巨大《きょだい》な『何か』がひっかかっている光景《こうけい》を。

解《わか》りづらくはあるが、確かにそこだけ、地上の明かりを照り返している夜空よりも一段と暗くなっており、まるで全てを呑《の》み込むブラックホールのようにも感じられた。

最初は何が起きているのか解らなかったが、そこから時折《ときおり》『影』が伸びているのを見て、静雄は、それが普段見慣《ふだんみな》れているものと同質《どうしつ》である事に気付く。

「セルティ……なのか？」

静雄の呟《つぶや》きに、シューターがベル音を一度鳴《な》らして同意《どうい》した。

「……おい！　セルティ！　聞こえるか！」

下から呼びかけてみるが、反応はない。

静雄《しずお》はギリ、と歯を軋《きし》ませて、初老《しょろう》の男の方に向き直った。

「てめえら……セルティに何しやがった」

シューターから降り、狭い路地《ろじ》の中で壁に手を置き、道を塞《ふさ》ぐようにしながら静雄が尋《たず》ねる。

初老の男はその圧力に気圧《けお》されたのか、思わず一歩下《さ》がってしまう。

入れ替わりに、秘書風《ひしょふう》の女が一歩前《まえ》に出て、静雄に答えた。

「お答えします」

「……あぁ？」

「確かに、私達の頭上《ずじょう》にあるものは、かつて、セルティ・ストゥルルソンと貴方達《あなたたち》に呼ばれていた存在です。ですが、今は理性《りせい》を失った怪物《かいぶつ》に過ぎません」

「……」

野生《やせい》の虎《とら》のような威圧感《いあつかん》を放つ静雄の前で、淡々《たんたん》と述べ続ける秘書風の女。

そこには悪意《あくい》も善意《ぜんい》もなく、本当に、ただ事実を機械《きかい》的に述べているという雰囲気《ふんいき》だった。

「お前ら……何が目的なんだ？」

「彼女……いえ、彼女だったものは、私達にとっては、取引される商品に過ぎません」

全く隠《かく》さずに言う秘書風の女に、初老の男が顔をしかめた。

「お、おい、鯨木《くじらぎ》君」

「隠し立てする事に意味はありません」

ピシャリと答えた後、鯨木と呼ばれた女は、更《さら》に静雄に語り続ける。

「彼女は人間では無く、ペットでもなく、保護《ほご》動物でもない。ただの異形《いぎょう》です。それを狩《か》り、好事家《こうずか》に売り渡すだけのビジネスです。貴方に妨害《ぼうがい》する理由はない筈《はず》ですが」

グシャリ。

と、何かが潰《つぶ》れる音がする。

それは、ビルの壁面《へきめん》に置かれた静雄の右手の辺りから響《ひび》き渡った。

見ると、コンクリートの壁の中に、静雄の拳《こぶし》が半分ほどめり込んでいる。

どうやら、指の力だけでコンクリートを豆腐《とうふ》のように抉り握ったらしい。

「……」

初老の男が全身を強ばらせるが、鯨木は表情を変えなかった。

そんな彼女を見て気を取り直したのか、初老の男も語り始める。

「その通りだ。これは悪事《あくじ》でもなんでもない。単なるビジネスだ。法にも触れない。現実には、化《ば》け物《もの》は存在しない事になっているんだからな。私はただ、存在しない筈のものに金を払おうとしているだけだ。邪魔《じゃま》をしないでもらおうか」

彼の言葉を聞いた静雄は、強く歯軋《はぎし》りした後、息を大きく吸い込んだ。

「……話は分かった。お前らには、お前らの理由があるんだろう」

意外《いがい》と冷静な言葉を紡《つむ》ぎ出し、静雄は前方の二人とセルティを交互《こうご》に見つめる。

「俺《おれ》はな、白バイがセルティを追ってるのに文句《もんく》は言わねえ。ありゃ、セルティに非《ひ》があるわけだからな。まっとうな理屈《りくつ》だ。お前らにも、もしかしたら白バイ警官と同じだけまともな理屈があるのかもしれねえ」

「御《ご》理解頂《いただ》けましたか」

「だがな」

一歩、静雄《しずお》は踏み出した。

それだけで、周囲の空気が一段と重くなる。

「法律だのなんだのは関係ねえ。セルティはな、俺の大事な友達《ダチ》なんだよ」

狭い檻《おり》の中、自分と共に閉じ込められて座っていたライオンが、突然立《た》ち上がった。

同じようなプレッシャーが、初老《しょろう》の男に襲《おそ》いかかる。

静雄は、呼吸にすら怒りを滲《にじ》ませ、ゆっくりと歩みながら言葉を続けた。

「それをこんなよ……モノみたいに扱われてよ……売り物にされるってのに……」

静雄そのまま地面を蹴《け》り、砲弾《ほうだん》のように走り出す。

「黙《だま》って見てられるわけ……ねえだろうがぁぁっ！」

蹴《け》りつけた部分のアスファルトに、革靴《かわぐつ》の裏のゴムが焦《こ》げ付いた。

人間離《ばな》れした突進《とっしん》に対し、初老の男は為《な》す術《すべ》もない。

身をよじろうとした時には既《すで》に遅く、熊《くま》や虎《とら》の爪《つめ》どころではなく、工業重機《じゅうき》のアームを思わせるプレッシャーを放つ静雄の左手が、男の首筋《くびすじ》へと襲《おそ》いかかった。

だが、あと数センチという所で、静雄と男の距離が開いた。

「ぐぶえっ」

男の襟首《えりくび》を後ろから摑《つか》んだ鯨木《くじらぎ》が、勢い良く背後へ放り投げたのである。

そのまま、10メートル程《ほど》投げ飛ばされる形で、男は背中から地面に叩《たた》きつけられた。

突進する静雄以上《いじょう》の速度で、成人《せいじん》男性を片手で引き飛ばす。

静雄には遠く及ばないものの、細身《ほそみ》の女性としては不可解《ふかかい》な膂力《りょりょく》だと言える。

「く、鯨木君、何を……」

ちょっとした絶叫《ぜっきょう》マシン気分の直後に地面に叩きつけられ、男は呻《うめ》きながら地面に転がる。

鯨木はそちらを振り返りもせず、淡々《たんたん》とした調子で男に告げた。

「……下がっていて下さい」


そして、鯨木は目の前にいる『障害《しょうがい》』——平和島《へいわじま》静雄に意識《いしき》を向ける。

静雄と間近《まぢか》で対峙《たいじ》した瞬間《しゅんかん》、頭上《ずじょう》で『影の雲』を縛《しば》る罪歌《さいか》がざわめき出した。

ワイヤー状となった刃《やいば》が、高揚《こうよう》してギチギチと己《おのれ》の身を擦《こす》り合わせる。

「……貴方《あなた》を、引き合わせたくはありませんでした」

罪歌にとって、『平和島静雄』は愛の対象《たいしょう》の一つ、しかも、『とびきりの上玉《じょうだま》』とでもいうべき存在だ。

贄川春奈《にえかわはるな》の罪歌《さいか》が生み出した『子』の面々《めんめん》は、リッパーナイトの事件以来《いらい》逆に静雄《しずお》を畏《おそ》れているのだが――杏里《あんり》と鯨木《くじらぎ》の持つ『罪歌』にとっては、やはり特別な人間なのである。

罪歌の精度《せいど》が狂うのを警戒《けいかい》して、鯨木は警察署内《しょない》にいた『子』を使って足止めしようとしていたのだが、どうやら折原臨也《おりはらいざや》の方に何かトラブルがあったようだ。

「あぁ？　おい、なんの話だ」

眉《まゆ》を顰《ひそ》める静雄の前に、鯨木は無《む》表情のまま立ちはだかる。

「いえ、こちらの話です」

鯨木は小さく首を振ると、真《ま》っ直《す》ぐに静雄の目を見据《みす》え、尋《たず》ねた。

「貴方《あなた》は、セルティを友人だと言いました」

「だからなんだ」

「あの状態でも、貴方はセルティ・ストゥルルソンを友人と言えるのですか？」

セルティが友人か否《いな》か。

単純な問いと共に、上に視線を向ける鯨木。

静雄が改めて見上げると、確かにそこで蠢《うごめ》いているのは、人間は疎《おろ》か、既存《きぞん》のどの生物とも異なる存在だった。

ワイヤーからはみ出した影が無数《むすう》の槍《やり》を生みだし、ただ闇雲《やみくも》に周囲のビルの壁を削《けず》っている。

およそ知性《ちせい》というものは感じさせない、純粋《じゅんすい》な化け物《ばもの》。

それが、今のセルティの姿《すがた》だった。

しかし、静雄は、あっさりと答える。

「当たり前だろ。何が問題あんだよ」

何故《なぜ》、そんな事をわざわざ聞くのか？

静雄の顔には、そんな戸惑《とまど》いの色すらあった。

鯨木はその答えを聞き、僅《わず》かに目を見開き、更《さら》に問う。

「理性《りせい》を捨て、人の姿すら捨てた化け物を、何故友人だなどと言えるのですか」

「……この状況でする質問か、それ」

静雄は、敵意《てきい》があるのか無いのか良く解《わか》らない鯨木を前に、怒りのやり場を失いつつあった。

「あのな、化け物だのなんだのは、俺《おれ》がガキの頃《ころ》からずっと言われてた事なんだよ。キレて周りがわかんなくなっちまって、セルティの奴《やつ》に迷惑《めいわく》かけた事も一度や二度じゃねえ」

過去の自分を思い出し、静雄は右手に持ったままのビルの『壁』を強く握り締める。

完全に粉《こな》になったコンクリートが手から零《こぼ》れ落ちる中、静雄は更に続けた。

「それでもな、セルティは、その後でも黙《だま》って俺の話を聞いてくれんだよ」

静雄は上を見上げ、もう一度同じ言葉を繰り返した。

「話をな、聞いてくれたんだ」

言いながら、静雄《しずお》は鯨木《くじらぎ》から視線を外し、少し先にあるビルの非常階段《かいだん》に目を向ける。

二階から設置されている非常階段で、緊急時《きんきゅうじ》には地上へと梯子《はしご》が降りるタイプのものだ。

「だったら、次は俺《おれ》が話を聞く番だろうが」

鯨木の横を通り過ぎ、静雄はそのまま非常階段へと向かう。

今のセルティがどういう状態なのか良く解《わか》らないが、まずはあのワイヤーを千切《ちぎ》る所から始めようと考えたのだ。

すると、静雄の手首が、鯨木の右手によって摑《つか》まれる。

「おい、離せ。女殴《なぐ》る趣味《しゅみ》は……」

言いかけた所で、静雄は気付く。

細身《ほそみ》の女性が出しているとは思えない力が、今の自分を引き留めている事に。

今の静雄の位置からは、鯨木の顔は見えない。

「……嫉妬《しっと》を、覚えます」

静雄は鯨木の声を聞き、その中に先刻《せんこく》までとは違う、僅《わず》かな感情の色が含まれている事に気が付いた。

「貴方《あなた》にも……セルティ・ストゥルルソンにも」

それは確かに、本人《ほんにん》が言う通り嫉妬の感情だったのかも知れないが、寧《むし》ろ、悲しんでいるようにも思える。

「私には、話を聞いてくれる人など、いませんでした」

見た目とは違う膂力《りょりょく》とはいえ、静雄には遠く及ばない。

振り払おうと思えば振り払えるが、それをして良いものか静雄は一瞬《いっしゅん》迷った。

すると、背後からシューターのベルの音が鳴り響《ひび》く。

まるで、静雄をせかしているかのようだった。

「ああ……悪ぃ、セルティの奴《やつ》は、すぐに助ける」

やはり今はセルティが優先《ゆうせん》だと考え、最低限《さいていげん》の言葉をかけて引き剝《は》がそうとする。

「俺は手前《てめえ》の事情なんて知らねえが……話なら、後で聞いてやる」

そして、引き剝がす為《ため》に鯨木の肩に反対側《がわ》の手をかけた瞬間《しゅんかん》――

「行動の停止を要求します」

と、背中の方から聞き慣れた声がかけられた。

静雄は再度《さいど》動きを止め、ゆっくりと背後を振り返る。

すると、そこには、やはり見《み》慣《な》れた女性が立っていた。

映画の中で軍人《ぐんじん》や警官がとるようなポーズで、やはり映画で見たような減音器《サプレッサー》付きの拳銃《けんじゅう》を構えている。

かつて自分を撃《う》った法螺田《ほらだ》などとは全く違う、いかにも玄人《くろうと》らしい構えかただ。

静雄《しずお》は、小さく溜息《ためいき》を吐《つ》き、その女性の名を口にした。

「……ヴァローナ」

自らの名を呼ばれた女は、自分の口が乾くのを感じながら、険《けわ》しい表情で静雄に告げる。

「抵抗皆無《ていこうかいむ》を保ち、鎮圧《ちんあつ》される事を所望《しょもう》します……静雄先輩《せんぱい》」

♂♀

路地裏《ろじうら》
鯨木《くじらぎ》も清太郎《せいたろう》も、まだ知らなかった。

封鎖《ふうさ》した道路を突破《とっぱ》したのが、静雄とシューターだけではなかったという事を。

反対方向《ほうこう》へと逃げ出した清太郎の部下《ぶか》は、路地の入口にいる筈《はず》の、罪歌《さいか》に操《あやつ》られた作業着姿《ぎすがた》の男達がいない事に気が付いた。

しかし、今はそれを気にしている場合ではない。

一刻《いっこく》も早くこの場から逃げ出し、応援《おうえん》を呼ぶ必要がある。

走りながら携帯《けいたい》を取り出し、清太郎《せいたろう》子飼《こが》いの面子《メンツ》に連絡《れんらく》を取ろうとした男だったが——

顎《あご》に電流を流されたような衝撃《しょうげき》が走り、そのまま意識《いしき》が暗転《あんてん》した。


倒れた男を路地裏《ろじうら》のゴミ捨て場まで引き摺《ず》りながら、写楽美影《しゃらくみかげ》は考える。

——まったく、手応《てごた》えどころか、私がいる事に気付きもしなかった。ただの素人《しろうと》か。

——さっきの『罪歌《さいか》』の連中《れんちゅう》も、大した事はなかったしね。

ゴミ捨て場には、清太郎の部下《ぶか》と同じように気絶《きぜつ》した、作業着姿《ぎすがた》の男達が転がっている。

顎や側頭部《そくとうぶ》に鋭い一撃《いちげき》を喰らった彼らは、暫《しばら》く目を醒《さ》ます事はないだろう。

——もうちょっと、歯ごたえのある奴《やつ》はいないもんかね。

頭の中に浮かぶのは、実家《じっか》が経営している楽影《らくえい》ジムの面々《めんめん》だ。

自分の家族は別としても、道場の猛者達《もさたち》は美影といえども一筋縄《ひとすじなわ》ではいかない。

最近では、喜佐《きさ》という若者が、恐ろしい速度で技術を身につけていると評判《ひょうばん》になっている。

——まだあのデカブツとは手合わせしてなかったけど……。

道場内《ない》で最大の身長を誇る期待の新人だが、今一つ興《きょう》が乗らない。

——やっぱり、殺気《さっき》がある連中《れんちゅう》とやり合った方が面白いしな。

剣呑《けんのん》とした事を考える美影は、溜息《ためいき》を吐《つ》きつつ、清太郎の部下をゴミ捨て場に放り投げた。

「それにしても……」

美影は、工事中のビルのクレーンのあたりを見上げながら、呆《あき》れたように口を開く。

「あいつ、本当に高い所が好きだね……」

♂♀

建設中のビル　最上部《さいじょうぶ》

ビル建設用のクレーンを横目《よこめ》に、折原臨也《おりはらいざや》は建設中のビルの端《はし》に立っていた。

まだ鉄骨《てっこつ》が剝《む》き出しになっている状態であり。組まれた足場《あしば》の外側には、工具や鉄骨、あるいは人が落下《らっか》するのを防止する為《ため》の分厚《ぶあつ》いビニールカーテンが貼《は》られている。

そんなビニールカーテンが貼られていない、足場が組まれていない部分から、臨也はゆっくりと眼下《がんか》を眺《なが》める。

強風に煽《あお》られれば落ちてもおかしくない状態だが、臨也は何の畏《おそ》れもなくギリギリまで足を踏み出し、下の風景を楽しんでいた。

「このビルで当たりだったかな。幸先《さいさき》がいいねえ」

建設途中《とちゅう》のビルとは言え、当然ながら警備員《けいびいん》は存在する。しかし、その警備員も、現在は気絶させられている状態だ。

臨也《いざや》の背後には暴走族《ぼうそうぞく》『屍《ドラゴン》龍《ゾンビ》』の面子《メンツ》が数人いるが、黄根《きね》の姿《すがた》は無い。

彼は『人殺しの手伝いは、俺《おれ》の仕事じゃない』と言って、少し前に帰ってしまった。

「まったく、黄根さんらしいよねえ。昔の自分を完全に棚《たな》にあげてるんだから」

そんな独り言《ひとりごと》を呟《つぶや》きながら、臨也はビルの下の様子《ようす》を改めて観察する。

「おあつらえ向きというか何と言うか、邪魔《じゃま》な化《ば》け物連中《ものれんちゅう》が一箇所《いっかしょ》に集まってくれるとはね」

——園原杏里《そのはらあんり》が居れば完璧《かんぺき》だったけれど……。流石《さすが》にそこまでは上手《うま》くいかないか。

妙《みょう》な道路工事《こうじ》の情報を摑《つか》んだ彼が、『屍龍』面子に動向《どうこう》を探らせた所、罪歌《さいか》に操《あやつ》られていると思《おぼ》しき者達を発見した。

何かあると踏んだ彼は、手駒《てごま》の面々《めんめん》を引き連れてこの建設途中《とちゅう》のビルに潜入《せんにゅう》したのだが——

結果として、想像《そうぞう》以上の成果を得る事ができたのである。

ビルとビルに挟まっている黒く巨大《きょだい》な塊《かたまり》は、恐らくセルティだろう。

何が起こったのかは知らないが、下の通路にいる鯨木《くじらぎ》かさねが何かしたというのは確実だ。

更《さら》にそこに矢霧製薬《やぎりせいやく》の社長が現れ、その繫《つな》がりも推察《すいさつ》する事ができた。

——このまま、首無《くびな》しライダーの『身体《からだ》』を矢霧製薬が引き取ってくれれば、不安要素の一つが無くなる。

——あとは、どうやって鯨木かさねを排除《はいじょ》するかだな。

つい数分前までは、そんな事を計算していた臨也だが――

清太郎《せいたろう》の後に現場《げんば》に現れた者の顔を見て、計算の全てが吹き飛んだ。


平和島静雄《へいわじましずお》。


不倶戴天《ふぐたいてん》の敵にして、つい先刻《せんこく》、本格的に排除すると宣言《せんげん》した男が、何故《なぜ》ここにいる？

経緯《いきさつ》には疑問を抱いたが、そんな疑問も、もはやどうでも良いと捨てておいた。

神の代わりに、折原《おりはら》臨也は人間に感謝《かんしゃ》する。

如何《いか》なる経緯であれ、平和島静雄を、今、この瞬間《しゅんかん》にこの場に運んできた運命を。


しかし、臨也は気が付いた。

この偶然《ぐうぜん》による、胸の内に湧《わ》き上がった純粋《じゅんすい》な喜びが――

静雄の姿《すがた》を確認《かくにん》した事により、彼への苛立《いらだ》ちと憎《にく》しみによって塗り替えられていく事に。

そして、改めて思う。

自分と平和島静雄は、決して相容《あいい》れない存在だと。

あの男がこの世の何処《どこ》かに生きているというだけで、自分の中の純粋な喜びが穢《けが》されていくのだと。

何故《なぜ》、自分はあの男をこうまで嫌《きら》うのだろうか?

今さらの疑問が湧《わ》き上がったのは——恐らく、これが最後になるかもしれないという予感《よかん》があったからかもしれない。

——なんでかな。

——やっぱり、どんな場面で会っても、俺《おれ》は平和島静雄《へいわじましずお》を殺したがったと思う。

誰《だれ》に言われたのかは忘れたが、自分が静雄を嫌うのは、コンプレックスが原因なのではないかと指摘《してき》された事がある。

自分が持っていないものを持っているからこそ、静雄を忌《い》み嫌っているのではないかと。

確かに、それも原因の一つだろう。

ただ、それはあくまで原因の『一つ』であり、憎《にく》しみの全てを構成するものでもないと認識《にんしき》していた。

様々《さまざま》な理由が、臨也《いざや》の頭の中に去来《きょらい》する。

数十、下手《へた》すれば三桁《さんけた》に到達する考えが溢《あふ》れたが——その全てが理由として正しいが、あくまで一部にすぎないのだろうと実感した。

結局の所、自分が静雄を憎む理由は、ただひとつなのだ。

恐らくは、向こうもそう思っている事だろう。

そうした『一致する部分』があると思う事すら、気持ち悪くて仕方なかった。

【――虫が好かない】

単純な理由。

因縁《いんねん》の全ては、そんな下らない第一印象《いんしょう》で始まっていた。

そして、臨也は受け入れる。

たったそれだけの理由で、人は人を殺せるのだという事を。


臨也は静かに目を伏せた後、ゆっくりと開く。

その顔に浮かぶのは、いつもの臨也が浮かべている薄笑《うすわら》いだった。

いつも通りの顔で、臨也は再び偶然《ぐうぜん》に感謝《かんしゃ》し、改めてビルの下に視線を移す。

静雄と鯨木《くじらぎ》が互いにつかみ合っており、誰かがそんな二人に銃《じゅう》を向けていた。

――あれは、ヴァローナかな。

蠢《うごめ》く影の塊《かたまり》となったセルティがワイヤーを軋《きし》ませ続ける中、臨也はそれがＢＧＭであるかのように、陶酔《とうすい》しながら呟《つぶや》いた。

「ああ……いい位置だ……」

「もう少しズレてくれれば……タワークレーンを使う必要もないかな……」

♂♀

路地裏《ろじうら》

頭上《ずじょう》から見張られているという事に、静雄《しずお》達《たち》は全く気付かない。

静雄が上を向いた所で、セルティに気を取られてしまう事だろう。

もっとも、今の静雄には、そもそも上を向く余裕《よゆう》すら無かったのだが。


「ヴァローナ。何《なに》持ってんだよそれ。……オモチャ、じゃねえよな」

淡々《たんたん》と尋《たず》ねる静雄に、ヴァローナは答えた。

「示威《じい》行動ではありません。私は真摯《しんし》にこの火器《かき》を構えています」

彼女は派手《はで》なライダースーツを纏《まと》っており、少し離れた場所に、大きめのキャリーバッグが置かれている。先刻《せんこく》まで無かった所を見ると、恐らく彼女がここに持ち込んだのだろう。

「何しにここに来たんだ？」

「静雄先輩《せんぱい》との業務《ぎょうむ》とは別種《べっしゅ》の稼業《かぎょう》の最中《さいちゅう》です。依頼主《いらいぬし》に暴行《ぼうこう》を加える事、看過《かんか》は不可能《ふかのう》です」

「うち、副業《ふくぎょう》は禁止じゃないけどよ、仕事は選ぼうぜ？　なあ？」

肩を竦《すく》める静雄に、ヴァローナは言った。

「……泰然自若《たいぜんじじゃく》としている意味が理解不能《ふのう》です。私に何か、問い詰める事象《じしょう》が存在するのではありませんか？」

彼女の言葉を聞き、静雄はどうしたものかと思案《しあん》した。

視界《しかい》の奥では、やはりどうしていいのか解《わか》らないのか、シューターがオロオロと影を揺らめかせている。

鯨木《くじらぎ》は状況を確認《かくにん》した所で、静雄を刺激《しげき》しないようにゆっくりと手を離した。

その顔は、既《すで》に無《む》表情に戻っている。

彼女が先刻《せんこく》どんな顔をしていたのか、ついに静雄は確認する事ができなかった。

だが、今はそんな事を気にしている場合ではない。

静雄はとりあえず両手を下げ、ヴァローナに言った。

「問い詰める事？　まあ、依頼主だかなんだか知らねえが、この姉《ねえ》ちゃんを護《まも》ろうとして銃向《じゅうむ》けたんだろ。ほれ、放したからもうそいつ下ろせ」

「……」

ヴァローナは一瞬《いっしゅん》銃《じゅう》を下ろしかけたが、何かに迷うような表情を見せた後、口を開く。

「私は、静雄《しずお》先輩《せんぱい》に供述《きょうじゅつ》しなければならない事象《じしょう》があります」

「なんだよ」

「五月初旬《しょじゅん》、豊島区内《としまくない》の学園施設《しせつ》内で、静雄先輩はフルフェイスヘルメットを被《かぶ》った女性に、スペツナズナイフにて刺突《しとつ》された経験が存在する筈《はず》です」

「あー、あったな」

静雄は溜息《ためいき》を吐《つ》き、言った。

「あれが、お前だってんだろ?」

「……」

「いや、俺《おれ》だって馬鹿《ばか》じゃねぇんだからよ。そのライダースーツ見りゃ解《わか》る」

当たり前の事を言いつつ、静雄はすまなさそうに続ける。

「それに、なんとなくだけどよ……前からそうなんじゃねぇかなとは……」

「認識《にんしき》していた、という回答は承服《しょうふく》しかねます。砂上《さじょう》の楼閣《ろうかく》です。森羅万象《しんらばんしょう》を承知《しょうち》していたと供述するならば、何故《なぜ》私の頸椎《けいつい》をその膂力《りょりょく》で粉砕《ふんさい》しなかったのですか!」

こんな時だろうと、ヴァローナの言い回しは複雑怪奇《かいき》だ。

彼女は真剣であればあるほど、日本語の使い方が回りくどくなる。『難しい言い回し=礼儀《れいぎ》正しい言葉になる』という勘違《かんちが》いから来る喋《しゃべ》り方なのだが、他人からすれば、ただ会話が成立し辛《づら》くなるだけだ。

「……お前のその喋り方、もう慣れちまったよ」

静雄はそんな事を言った後、ヴァローナに言った。

「まあ、それに慣れるまで一緒《いっしょ》に仕事した奴《やつ》を、今さらどうこうする気にはならねえよ」

「静雄先輩の個性とは異なります。不可解《ふかかい》です」

銃を僅《わず》かに下げながら訝《いぶか》しげに言うヴァローナに、静雄は言った。

「あのな……俺がキレるのはな、筋《すじ》が通ってねえ事だ」

そして、ヴァローナが握る銃を見ながら言葉を続ける。

「お前が俺を撃《う》つ事に筋が通った理由があるってんなら、俺は撃たれても刺《さ》されても怒りゃしねえよ。初対面《しょたいめん》の奴《やつ》にいきなり撃たれりゃ、そりゃ筋もなにも解らねえからとりあえずキレるけどよ」

実際、静雄の怒りには激しいムラがあった。

矢霧誠二《やぎりせいじ》にボールペンで刺された時も、彼が理不尽《りふじん》な理由を述べた時は思いきり投げ飛ばしたが、それが真摯《しんし》な愛の為《ため》の行動であると理解した後は、手加減《てかげん》した頭《ず》突き一発だけで済ませている。また、正々堂々《せいせいどうどう》と正面から喧嘩《けんか》を申し込んできた六条千景《ろくじょうちかげ》に対しても、怒りとは別の感情で真《ま》っ当《とう》に喧嘩を終わらせた。

代わりに、理不尽な事であれば、どんなに些細《ささい》な事でも怒り狂うというのが彼の最大の問題点だったのだが。

「……」

黙《だま》り込むヴァローナに、静雄《しずお》は更《さら》に開口《かいこう》する。

「なあ、ヴァローナ。お前、何をどうしたいんだよ。まず、それを教えてくれ」

静雄はただ純粋《じゅんすい》に、初めてできた仕事の後輩《こうはい》に対し、そう尋《たず》ねた。

「先輩《せんぱい》なんだからよ、少しは頼ってくれていいんだぜ？」

——私、は……。

静雄の言葉を聞き、ヴァローナの心は揺らぎ始めた。

あるいは、元から揺らいでいた心に、改めて気が付いたといった方が正しいかもしれない。

——私は、何を……している？

——静雄先輩を、壊《こわ》したい。

——人間の強さを、確かめる為《ため》に。

ロシアに居た頃《ころ》から、強者《つわもの》と呼ばれる者達に対して抱いていた願望《がんぼう》。

それは確かに、歪《ゆが》んではいるが、ヴァローナの純粋な願いの一つだ。

しかし、この国で静雄やトムとの日常を経験した今は、破《は》壊衝動《かいしょうどう》とは違う感情が生まれているのも事実だ。

──違う……私には……今さら日常など許されない。

──なんの為《ため》に、私は父《とう》さんやリンギーリン社長を裏切《うらぎ》って……。

甘い認識《にんしき》を振り払い、改めて『敵』として静雄を見ようとする。

しかし、それでも心の揺らぎは収まらない。

──違う、こんな形じゃない。

──私と静雄先輩の、全てをかけて壊し合わないと……何の意味も……。

──こんな、もののついでみたいな形で……。

次から次へと、『今、静雄を撃《う》たない為の言い訳《わけ》』が思い浮かぶ自分に、強い衝撃《しょうげき》を覚えるヴァローナ。

スローンに『生温《なまぬる》くなった』と言われた事に、これでは欠片《かけら》も反論《はんろん》できないではないか。

──私は……。

──私は、何をしたいんだ？

固まってしまったヴァローナを見て、尻餅《しりもち》をついていた清太郎《せいたろう》が声をあげる。

「お、おい、何をしている！　さっさとそいつを撃ち殺せ！」

「……おい、オッサン」

静雄が声を出した瞬間《しゅんかん》、場の空気が一瞬《いっしゅん》で冷え込んだ。

「そりゃ、筋《すじ》が通ってないんじゃあねぇか……？」

清太郎《せいたろう》に対する静雄《しずお》の声には、明確な苛立《いらだ》ちが含まれている。

ゆっくりと振り返った静雄と目が合い、清太郎は全身を震わせた。

更《さら》に、その硬直《こうちょく》が原因で腰と背中の筋がズレてしまい、そのまま激痛《げきつう》で動けなくなる。

「……っ！」

「人を殺す時はよ……相手から殺される覚悟《かくご》が必要だよなぁ……。で、ヴァローナに殺せって命令するって事はよ……ヴァローナに『返り討《う》ちで死ぬ覚悟しろ』って事だよなぁ？　手前《てめえ》……俺《おれ》の大事《だいじ》な後輩《こうはい》に、死ぬかもしれねぇ仕事を押しつけるってのか……？　あぁ……？」

「ま、待て！　私は……私は……！」

尻餅《しりもち》をついたまま、虫のように手足をばたつかせて後じさりしていく清太郎。

ゆっくりと近づいて来るバーテン服の男を前に——異形《いぎょう》の数々を前にも物怖《ものお》じしなかった男は、今、明確な死の恐怖《きょうふ》に心臓《しんぞう》を握り締《し》められていた。

後悔《こうかい》をする暇《ひま》も無いまま、清太郎と静雄の距離は、容赦《ようしゃ》なく縮まり続ける。

「……」

清太郎に向かって歩いて行く静雄を見て、ヴァローナは混乱したまま銃《じゆう》を向けようとした。

すると、その腕の上に鯨木《くじらぎ》がそっと手を置き、銃を下げるように促《うなが》す。

「貴女《あなた》は矢霧《やぎり》社長に雇用《こよう》されているわけではありません。命令を聞く義務《ぎむ》は存在しないかと」

「……」

「私も貴女も、今、私情《しじょう》に惑《まど》わされています。私の経験則ですが、仕事に私情を持ち込むのは悪い結果を引き起こします。反省すべき点です」

鯨木の頭に過《よ》ぎるのは、かつて『商品』として扱った聖辺《ひじりべ》ルリの顔だった。

もしもあの時、私情に動かされなければ。

あるいは、逆に私情を働かせて彼女を救っていれば、もっと違う道があったのではないか。

一瞬《いっしゅん》だけそんな事を考えたが、今さら意味の無い事だと首を振った。

「悪循環《あくじゅんかん》を断ち切る為《ため》に、ここは一度引《ひ》きましょう」

声は聞こえていなかったものの、鯨木達の様子《ようす》を見ていた清太郎が、嫌《いや》な予感《よかん》を覚えつつ助けを求める。

「お、おい!?　鯨木君？　何をしてる!?　早く私を助けてくれ！」

だが、鯨木は淡々《たんたん》とした口調《くちょう》で、残酷《ざんこく》な言葉を口にした。

「……私の本日《ほんじつ》の業務《ぎょうむ》に、矢霧《やぎり》社長の護衛《ごえい》は含まれておりませんので」

「なっ……」

そして鯨木は、ヴァローナが持ってきたキャリーバッグを掌《てのひら》で指し示しながら、恭《うやうや》しく一礼《いちれい》してみせた。

「約束通り、『商品の一つ』はお持ちしました。『デュラハンの身体《からだ》』と『罪歌《さいか》』については、後日《ごじつ》改めてお持ち致します」

「ま、待て！　あの、ビルの上のアレは『デュラハンの身体』ではないのか！　どうする気だ！」

「この状況での回収《かいしゅう》は難しいかと」

ヴァローナの持ってきたキャリーバッグの中身を使えば、、、、、、あの状態から元の身体に戻す事は可能だろう。

しかし、理性《りせい》を取り戻したデュラハンを罪歌で押さえたまま、平和島静雄《へいわじましずお》をなんとかできる自信はない。そもそも、静雄の存在でざわついている状態の罪歌では、デュラハンを押さえきれるかすら心許《こころもと》ない。

そして、あくまで無《む》表情を貫《つらぬ》き通したまま、珍《めずら》しく人間らしい言葉を口にした。

「私も、命は惜《お》しいので」

鯨木《くじらぎ》の言葉と、絶望に満ちた清太郎《せいたろう》の悲鳴を聞きながら、ヴァローナは静かに銃《じゅう》をおろす。

——駄目《だめ》だ。

——このままの状態では、何をしても私の望みは叶《かな》わない。

——静雄先輩《せんぱい》を壊《こわ》す時は……それなりの覚悟《かくご》が必要だ。

元々、その『覚悟』を取り戻す為《ため》の副業《ふくぎょう》だったのだが、その最中《さなか》にこのような形で静雄と会う事になるとは思っていなかった。

ここは、鯨木の言う通り一旦《いったん》引くのが得策《とくさく》だろう。

混乱を収める為に、ヴァローナは呼吸を整えながら、夜空を仰《あお》ぎ見た。

そこで改めて異形《いぎょう》である『影の塊《かたまり》』を見て、眉《まゆ》を顰《ひそ》める。

だが――

同時に彼女は、異様《いよう》な点に気が付いた。

過去の職業柄《がら》、観察眼《がん》に優れた彼女だから気付く事ができた異常。

――日本では、こんな夜間でも建築《けんちく》作業をしているのか？

黒い塊は、ビルの丁度《ちょうど》中間あたりでワイヤーに搦《から》め捕《と》られている。

その更《さら》に上部。

建築途中《とちゅう》のビルの最上部《さいじょうぶ》付近に、煌々《こうこう》と明かりが灯《とも》っているのが見えたのだ。

飛行機への警告《けいこく》の為の赤色灯《せきしょくとう》とは別の、ハロゲンランプのような明るい光。

だとしたら、屋上の作業員《いん》から目撃《もくげき》されている可能性もあるのではないか。

気になったヴァローナは、建築中のビルの最上部がよく見える位置まで移動する。

すると、そこにもやはり、異様《いよう》なものが見えた。

一台のフォークリフトが、最上部の壁面間際《へきめんまぎわ》にあるのが見えた。

この位置から見えるというだけで、相当ギリギリの所に停車されているのは明白《めいはく》だ。

危ないと思いつつ目を凝《こ》らした所で、更《さら》に気付く。

フォークリフトは、前面の貨物運搬部《うんぱんぶ》をこちらにはみ出させており——その上に、建築材らしき何かが積まれていた。

そして、その横に、小さく人影《ひとかげ》が見え——

——っ！

ヴァローナは気付く。

屋上にいる人影が、一体何をしようとしているのかを。

、、、、、、、、、、、、、、、、、、、、

「静雄《しずお》先輩《せんぱい》！」

気付けば、彼女は駆《か》け出していた。

一心不乱《いっしんふらん》に矢霧清太郎《やぎりせいたろう》に迫りつつあった静雄に向かって。

そして、僅《わず》か数秒後《ご》——静雄の背中を思い切り突き飛ばした。

「!?」

思わずバランスを崩《くず》し、数歩前《まえ》によろめく静雄。

「おい、なにすんだヴァロ……」

突然の事に、抗議《こうぎ》の声を上げながら振り返った静雄の目の前で——

無数《むすう》の鉄骨《てっこつ》や鉄筋《てっきん》が、自分がつい数秒前まで立っていた場所に、勢い良く降り注《そそ》いだ。

清太郎は、自分の目の前で起こった光景《こうけい》に、今度こそ腰を抜かしていた。

ついさっきまでは、自分があの位置に居たのだから当然と言えば当然だ。

後じさりしていなければ、今頃《いまごろ》命は無かっただろう。

地面に撥《は》ねた鉄筋が真横《まよこ》に落ちるが、清太郎はそれ以上身動き一つできなくなっていた。

鯨木《くじらぎ》も何が起きたのか解《わか》らず、僅かに目を見開いている。

「なっ……な、なな……」

どうやら、彼女が仕掛けたというわけでもないらしい。

しかしもはやそんな事はどうでも良く、清太郎は運命を呪《のろ》いながら、ただひたすら、逃げ出した部下《ぶか》が応援《おうえん》を連れて助けに来る事だけを待ち望んでいた。

その部下が、ゴミ捨て場で気絶《きぜつ》しているとも知らぬまま。

動けなかったのは、静雄も同じ事だ。

目の前の事態《じたい》を理解できず、呼吸をする事すら忘れている。

彼の視界《しかい》に映ったのは、無数《むすう》の鉄骨が散乱《さんらん》する細い路地《ろじ》。

そして、鉄骨のうちの一本の下敷《したじ》きとなっている、ヴァローナの姿《すがた》だった。

「……ヴァローナ！」

静雄《しずお》は即座《そくざ》に駆《か》けより、片手で鉄骨《てっこつ》を払いのける。

人の形が残っている所を見ると、どうやら落下《らっか》したものが直撃したわけではないらしい。

だが、跳《は》ねた鉄骨や鉄筋《てっきん》が当たったのだろう、ライダースーツが数カ所裂《さ》け、身体《からだ》のあちこちから血が流れている。

「おい、しっかりしろ！　ヴァローナ！　おい！」

「……静雄……先輩《せんぱい》」

「良かった！　生きてんだな！　しっかりしろ！」

「心配は……無用《むよう》です。回避《かいひ》する算段《さんだん》でしたが、跳躍《ちょうやく》した建築資材《しざい》を回避しきれませんでした」

まともに喋《しゃべ》れる所を見ると、思ったよりも傷は浅いらしい。

鍛《きた》えられた彼女の肉体のおかげか、地面に跳ねた鉄筋の勢いが弱まっていたのかは解《わか》らないが、命に別状《べつじょう》は無さそうだ。

「馬鹿野郎《ばかやろう》……俺《おれ》なんかの為《ため》に命張るんじゃねえよ……」

実際、静雄ならば直撃《ちょくげき》しても生きている可能性はあった。

それでも、ヴァローナは静雄を咄嗟《とっさ》に案じ、彼の身体を突き飛ばしたのである。

ヴァローナが自分の代わりに怪我《けが》をしたという事実に、静雄は悔恨《かいこん》の念《ねん》を湧《わ》き上がらせた。

何か声をかけようとしたのだが――

状況は、そんな行動すら許さなかった。

「静雄先輩！」

仰向《あおむ》けに寝ていたヴァローナが、突然《とつぜん》目を見開いた。

静雄は彼女の視線と叫びの意味を悟《さと》り、上を向く。

すると、そこに見えたものは、明らかな『異常』だった。

建築中《ちゅう》のビルの屋上から、今まさに、、フォ、、ークリ、フ、ト、が、落、ち、よ、う、と、し、て、い、た、。

シーソーのように傾いたかと思うと、ゆっくりとその車体がひっくり返り――

まるで映画のワンシーンのように、こちら目がけて落下してくる。

その光景《こうけい》を見た時、静雄の中でやけにゆっくりと時間が流れていた。

フォークリフトが落ちる直前《ちょくぜん》。

彼は見たのだ。

その横に立ち、こちらを見下ろす人影《ひとかげ》を。

ハッキリと顔が見えたわけではない。

一瞬《いっしゅん》の事で、ハロゲンランプの逆光《ぎゃっこう》のせいで服の色すら良く解《わか》らなかった。

だが、それでも静雄は、確信《かくしん》めいた予感《よかん》を持って、その名前を口にする。

「……臨也《いざや》？」


次の瞬間《しゅんかん》、フォークリフトが静雄《しずお》とヴァローナに迫る。

清太郎《せいたろう》は悲鳴をあげつつも、静雄がそのまま潰《つぶ》される事を期待した。

飛び散った破片《はへん》で自分も死ぬ可能性がある事は、その時は思い浮かばなかった。

しかし次の瞬間、誰《だれ》の目から見ても、信じがたい事が起こる。

即座《そくざ》に立ち上がった静雄が、落ちてきたフォークリフトに対し——

強烈《きょうれつ》にして単純な、ショルダータックルを叩《たた》き込んだのだ。

相撲《すもう》でいえば『ぶちかまし』。

肩から全力でぶつかる、シンプルにして強力な技の一つ。

もっとも、静雄にそうした格闘技《かくとうぎ》の経験があるわけではなく、ただ単に、本能《ほんのう》に従って体当たりをしただけだった。

しかし、ほぼ零距離《ゼロきょり》からの状態で放たれた体当たりは、絶大《ぜつだい》な威力《いりょく》を発揮《はっき》する。

静雄が普段《ふだん》放り投げている自動販売機《はんばいき》は、300キロ前後のものだ。

中身《なかみ》の量によっては、軽く500キロを超えるものもある。

それに対して、今《いま》落ちてきたフォークリフトは、かるく一トンを超える重量だ。

しかも、建設中《ちゅう》とはいえ、ビルの最上部《さいじょうぶ》から落下《らっか》してきたものである。

明確な死とも言えたその重量を——静雄は、体当たりで文字通りはねのけ、、、、たのだ。

接触《せっしょく》した瞬間《しゅんかん》、轟音《ごうおん》と共に、フォークリフトの軌道《きどう》が大きく変わる。

斜めに跳ねたフォークリフトは、そのまま建設中のビルの壁面へと激突《げきとつ》し、コンクリートの壁を破ってそのまま内部に転がりこんだ、

壁を破壊《はかい》する轟音に続いて、静寂《せいじゃく》が路地裏《ろじうら》を支配する。

誰も、何も声を発する事ができなかった。

人間にとって回避《かいひ》不可能な『死』を、平和島《へいわじま》静雄という男は、純粋《じゅんすい》な膂力《りょりょく》と頑健《がんけん》な身体《しんたい》だけではねのけたのである。

命を救われた形となるヴァローナですら、目の前で起こった事が信じられずにいた。

車を蹴《け》り転がす静雄を見た事はある。

ナイフが刺《さ》さらない静雄も知っている。

それでも、まさかここまでデタラメが許される存在だとは認識《にんしき》していなかった。

もはや、彼の身体《からだ》は銃弾《じゅうだん》すら通さないのではないだろうか？

アメコミのヒーローを思わせるその肉体を前に、ヴァローナの中で『人間』の定義《ていぎ》が崩《くず》れつつある。

「……大丈夫《だいじょうぶ》か」

沈黙《ちんもく》を破ったのは、それを生み出した静雄《しずお》自身だ。

彼はヴァローナに新たな怪我《けが》がない事を確認《かくにん》すると、安堵《あんど》したように微笑《ほほえ》みかける。

「大丈夫《だいじょうぶ》みてぇだな」

そして、静雄は首をコキリと鳴らし、左肩《かた》を回しながらヴァローナに背を向けた。

「悪いな……ヴァローナ」

「……？」

「俺《おれ》はこれから、筋《すじ》が通らねえ事をする。お前に撃《う》たれても刺《さ》されても文句《もんく》は言えねえ」

そして、静雄は続いて、路地《ろじ》の奥にいるシューターに向かって頭を下げた。

「……お前も、せっかく俺を頼ってくれたのによ……。セルティが元に戻ったら、いくらでも蹴《け》っ飛ばされてやるから、勘弁《かんべん》してくれ」

言葉だけを聞いていれば、普段《ふだん》よりも冷静なくらいに感じられる。

だが、その場にいた者達は、全員気《き》が付いた。

普段の静雄を知らない清太郎《せいたろう》ですら、彼の言葉の裏側《うらがわ》にあるものを感じ取る。


怒り。

果てしなく単純にして、どこまでも純粋《じゅんすい》な感情。

極限《きょくげん》にまで圧縮《あっしゅく》された心火《しんか》が、人の形をして歩いている。

今の静雄は、まさにその状態だった。

ヴァローナやシューターに向けて吐き出されている言葉は、恐らく彼の感情の中に残された最後の不純物《ふじゅんぶつ》なのだろう。

それを全て吐き出し終えた時に何が起こるのかを想像《そうぞう》し——ヴァローナも清太郎も、鯨木《くじらぎ》でさえ、臓腑《ぞうふ》の奥から『逃げろ』という警告《けいこく》にも似た疼《うず》きが湧《わ》き上がる。

警察署《しょ》のそばでヴァローナを見て、過去《かこ》最大の怒りが湧き上がった静雄。

しかし、彼はそれから数《すう》時間、普通に行動する事ができていた。

その後、中学生を高く放り投げ、シューターと会話した事で、怒りは収まったものだと、静雄自身ですらそう勘違いしていた。

だが、実際は違った。

彼は、自分の感情を内側に押し込んでいたのを、怒りが収まったとばかり思っていたのだ。

しかし、感情の奥底《おくそこ》にある本質的《ほんしつてき》な何かが、その怒りを敢《あ》えて放出しなかっただけだ。

この煮《に》えたぎるマグマすら蒸発《じょうはつ》しかねない強大な『怒り』を放つべき相手は、ただ一人だと本能《ほんのう》で理解していたからだ。

そして、その相手が目の前に現れた。

後輩《こうはい》であるヴァローナを傷つけるという、最悪の演出《えんしゅつ》を伴って。

静雄《しずお》は穏《おだ》やかに歩《ほ》を進め、フォークリフトによって開いた壁の穴から、建築途中《とちゅう》のビルの内部へと入っていった。

その時、ヴァローナは気付く。

静雄の右腕《うで》が、肩からダラリと下がったまま、全く動いていないという事に。

「……静雄先輩《せんぱい》」

しかし、ヴァローナには、彼を止める事はできなかった。

ここで彼を引き留める事は、何か神聖《しんせい》なものを侮辱《ぶじょく》するような気がしたからだ。

それは、人間の強さを望む彼女が抱いた、まやかしのような信仰心《しんこうしん》だったのかもしれない。

どちらにせよ、この場に、今の静雄を止められる者は存在していなかった。

♂♀

ビルの中に入り、階段をゆっくりと上る静雄。

そんな彼の携帯《けいたい》に、着信《ちゃくしん》がある。

静雄は視線を階段の先に向けたまま、携帯の通話ボタンを押し、耳に当てた。

『やあ、シズちゃん』

聞こえてきたのは、今しがた自分を——自分とヴァローナを殺そうとした男の声。

『あれで死なないなんてね。君は本当に、大した大した化《ば》け物《もの》だよ。そんな君が、人間を庇《かば》うなんて滑稽《こっけい》以外の何ものでもなかったけどね』

「……」

『前にも言ったかもしれないけど、人を助ければ、人に好かれるとでも思ってるのかな。ああ、それともあのヴァローナって子には、特別な感情でもあるのかい？　てっきり君は、粟楠会《あわくすかい》のお嬢《じょう》さんに色目《いろめ》を使うロリコンだと思ってたけど。化け物な上にケダモノだなんて、笑い話にもならないよね』

「……」

『そうそう、セルティを見捨《みす》てていいのかい？　君が見逃《みのが》したあの鯨木《くじらぎ》って女が、どれほど悪人なのか教えてあげようか？』

挑発《ちょうはつ》とも忠告《ちゅうこく》とも取れる、いつも通りの嘲笑《ちょうしょう》を交えた言葉が携帯電話から響《ひび》き続ける。

それに対し、静雄は何も答えぬまま、ただ、階段を歩み続けた。

だが、ビルを半分ほど登った所で、初めて静雄は口を開く。

「臨也《いざや》」

怒りを欠片《かけら》も感じさせ無い、穏やかな声だった。

『……なんだい？』

聞き返す臨也に、静雄はやはり穏やかな声で、その言葉を口にする。

「……あばよ」

それが、静雄《しずお》に残された理性《りせい》の最後の一欠片《ひとかけら》だった。

『……』

後は何も喋《しゃべ》らない事を確認《かくにん》した臨也《いざや》は、一言《ひとこと》だけ返し、電話を切る。

『ああ、さよならだ』

彼の声もまた——今までにない程《ほど》、穏《おだ》やかなものだった。

この後に、壮絶《そうぜつ》な殺し合いをするとは思えない程に。

♂♀

少し遅れて、ヴァローナと鯨木《くじらぎ》がビルの中に足を踏み入れる。

「本当に、後を追う気ですか」

「……見届《みとど》ける必要性を熟慮《じゅくりょ》しました。制止《せいし》は無意味《むい》です」

「巻き込まれても知りませんよ」

「貴女《あなた》の補助《ほじょ》は必要としていません」

身体《からだ》中に傷を負っているヴァローナだが、よろけた足取りで階段へと向かう。

無傷《むきず》の鯨木は、軽く首を振って答えた。

「あの『攻撃《こうげき》』は、恐らく折原臨也《おりはらいざや》の手によるものです。折原臨也は、私に自由を与えてくれた恩人《おんじん》であると同時に、明確な敵でもありますから。最後を見届ける必要があります」

「……」

無言《むごん》のまま、ヴァローナは進む。

鯨木もその後に続くが、このビルの中ならば、まだ『罪歌《さいか》』とのリンクは続いている。

もしも臨也と静雄《しずお》が相打ちになれば、その後にデュラハンの身体を回収《かいしゅう》し、安心して最後の『取引』を済ませる事ができるだろう。

そんな打算《ださん》もあったのだが、その一方で、静雄と臨也の衝突《しょうとつ》の結末《けつまつ》を見届《みとど》けたいという思いがあったのも事実だ。

自分の中にそんな物見遊山《ものみゆさん》的な感情があった事に驚きつつ、鯨木はヴァローナの背をゆっくりと歩み追う。

しかし——階段の手前まで来た所で、二人に声が掛けられた。

「はい、そこまでだよ。お嬢《じょう》さん達」

振り返ると、そこには、まだ若い女が立っている。

頑丈《がんじょう》さとしなやかさを兼ね揃《そろ》えた、いかにも何か格闘技《かくとうぎ》をやっているという風体《ふうてい》の女性だ。

「悪いけど、臨也が部外者《ぶがいしゃ》は入れるなってさ」

肩を竦《すく》めながら言う女に、ヴァローナが問う。

「拒否《きょひ》すると発言した場合は、如何《いか》なる事態《じたい》になりますか？」

「……あんた、スローンの相棒《あいぼう》だろ？」

「！」

突然出《で》て来た名前に、ヴァローナは目を見開いた。

「で、あんたも知ってる筈《はず》だよな、スローン」

女は鯨木にも告げるが、彼女は無《む》表情のまま肯定《こうてい》も否定《ひてい》もしない。

そんな二人を前にして、女——写楽美影《しやらくみかげ》は、身体《からだ》を左右に揺らめかせながら言った。

「怪我《けが》してる奴《やつ》とやっても面白くないんだけどさ……どうしてもっていうなら、私が暫《しばら》く遊び相手になるよ」

美影はつまらなそうに言うと、天井《てんじよう》を見ながら淡々《たんたん》と続ける。

「この上で起こるのは、多分《たぶん》世界一《いち》くだらない、無《む》意味な殺し合いだよ」

手足《てあし》をぶらつかせた後、彼女にしては珍《めずら》しく、ニカリと笑って呟《つぶや》いた。

「でも、なんか、他人に邪魔《じやま》させる気にはなれないんだよね」

♂♀

路地裏《ろじうら》

「く、首……首だけでも回収《かいしゆう》せねば」

独《ひと》り言《ごと》をブツブツと呻《うめ》きながら、這《は》うように蠢《うごめ》く清太郎《せいたろう》。

腰の痛みに耐えながら、鉄骨《てっこつ》と鉄筋《てっきん》の散乱《さんらん》する路地を進んでいく。

だが、後一歩《あと》で、ヴァローナが路地に持ってきたキャリーバッグに手が届くという所で——

突然現《あらわ》れた白い影が、ヒョイとそのバッグを拾い上げた。

「！」

清太郎は上を見上げ、驚愕《きょうがく》する。

そこに立っていたのは、白いガスマスクを被《かぶ》った『ネブラ』の研究員、岸谷森厳《きしたにしんげん》だった。

「森厳……！」

「フハハハハ、いいざまだな、清太郎。学生時代、私に土下座《どげざ》していた君を思い出す」

「巫山戯《ふざけ》るな！　貴様《きさま》に土下座した事などないだろう！　それより、何故《なぜ》ここに！」

「ふうむ、これを機に学生時代の話を捏造《ねつぞう》しようとしたが失敗してしまったようだ」

露骨《ろこつ》に肩を落としながら、森厳は清太郎から数歩離《はな》れ、おもむろにバッグを開き始める。

「いやしかし、陰から見ていたが、静雄君は本当に凄《すご》いな。フォークリフトを弾《はじ》き飛ばした時は思わず尿《にょう》を漏《も》らしかけたよ。お前はもう漏らしているんじゃないか？」

「質問に答えろ！」

「息子《むすこ》がかさね嬢《じょう》に攫《さら》われたと聞いてね。君を張っていればと思ったが、案《あん》の定《じょう》だ」

「息子……？　なんの事だ？」

新羅《しんら》の誘拐《ゆうかい》については何も知らない清太郎は眉《まゆ》を顰《ひそ》めるが、森厳がバッグの中から『首』を取り出したのを見て、思わず声を荒げる。

「おお！　おお……懐《なつ》かしい……そして美しい！　それは私のものだ！　寄越《よこ》せ！」

「もちろん、私は紳士《しんし》だからな。拾ったものは、ちゃんと警察か……持ち主に届けるさ」

持ち主。

その言い方がひっかかり、清太郎《せいたろう》は息を呑《の》む。

「貴様《きさま》、まさか……」

「やあやあ、持ち主がこんな近くにいるとは幸いだったな！　これも私の人徳《じんとく》だろう！」

芝居《しばい》がかった台詞《せりふ》を吐き出しながら、森厳《しんげん》は上を仰《あお》ぎ見た。

そこでは、影の雲が未《いま》だにワイヤー状の罪歌《さいか》に囚《とら》われている。

「ま、待て！　森厳！　お前の息子《むすこ》は、あれだろう！　あのデュラハンの身体《からだ》と愛し合っていたのだろう⁉」

「否定《ひてい》はしない。まったく、息子の趣味《しゅみ》にも困ったものだ。私の事を一向《いっこう》に『パパ』とも『義《と》父《う》さん』とも呼ばない女と付き合うとは」

冗談《じょうだん》めかして言う森厳に、清太郎が叫ぶ。

「待て！　首を戻すつもりならやめろ！　鯨木《くじらぎ》の話だと、これまでの池袋《いけぶくろ》の生活の記憶《きおく》が、全て消えるかもしれないそうだ！」

もちろん、本気で新羅《しんら》の事を心配したわけではない。この状態で身体を元に戻されたら、全て森厳に横取《よこど》りされてしまう可能性が高い。

それを防ごうとしての忠告《ちゅうこく》だったが、森厳は笑いながら首を掲《かか》げた。

「まあ、その可能性は大いにあるだろうね。勤務中《きんむちゅう》ならば、私はネブラの研究員として、首を持ち帰る事を第一にしなければならないのだが……。休暇中《きゅうか》の研究員としては、首を戻せば本当に記憶が消えるのかどうか、実験してみたくて堪《たま》らないのだよ！」

「貴様！　息子の人生を踏みにじるつもりか⁉」

「大丈夫《だいじょうぶ》大丈夫、新羅は強い子だ。セルティが全ての記憶を失ったとしても、また最初から20年かけてやり直すさ！」

「こ、このゲスが……っ！」

叫ぶ清太郎の声を無視《むし》し、森厳は高らかに唱《うた》いあげる。

「人生はいつだって、トライ＆エラーの繰り返しなのだよ！　ハハハハハ！　それいっ」

そして、森厳は勢いよく『首』を上空目《じょうくうめ》がけて放り投げ——

数メートルも上がらず、二階あたりの壁に当たって跳ね返ってきた。

「……」

「……」

地面に落ち、ゴロゴロと転がる美女の生首《なまくび》。

沈黙《ちんもく》が訪れた中、森厳は腕を回しながら朗《ほが》らかに言った。

「人間の首の重さは大体3キロから8キロの間と言われている。セルティ君の首は、やや軽かったから4キロぐらいといった所かな。4キロのダンベルをあんな高い所まで放り投げる事ができるかね？　私にはできない！」

白いガスマスクの下から、偉《えら》そうな声を響《ひび》かせる森厳《しんげん》。

呆《あき》れ果てた顔をする清太郎《せいたろう》に、森厳は誤魔化《ごまか》すかのように言葉を続けた。

「言っただろう、人生とはトライ&エラーの繰り返しなのだ」

すると――

「トライ&エラーの使い方、微妙《びみょう》に間違ってませんか？」

森厳の後ろから現れた男が、転がって来た首をヒョイと掴《つか》む。

それを確認《かくにん》して、森厳は力強く上空を指さした。

「ふむ、実験再開《さいかい》だ！　エゴール君、頼む！」

どこまでも自由な森厳の発言に苦笑《くしょう》した後――

エゴールは上着を脱いで簡易《かんい》的な投石器具《とうせききぐ》のように畳《たた》み捻《ひね》り、そこに『首』をセットする。

そして次の瞬間《しゅんかん》、彼は勢い良く身体《からだ》を回転させながら、『首』を思い切り高く投げ上げた。

「やめろおおおおおお！　それは、私のものだああああ！」

清太郎の叫びが、まるで効果音のように路地裏《ろじうら》に響《ひび》き渡る。

首は砲弾《ほうだん》のように勢い良く空に舞い上がり、ついに、ワイヤーに囚《とら》われた、『影の雲』まで到達する。

そして――それを見届《みとど》けた自転車状態《じてんしゃ》のシューターが、瞬時《しゅんじ》にその姿《すがた》を馬へと変えた。

♂♀

建築途中《とちゅう》ビル　一階

「……」

美影《みかげ》と相対《あいたい》して睨《にら》み合っていたヴァローナ達だったが、鯨木《くじらぎ》が急に目を見開き、斜め上――ワイヤー化させた『罪歌《さいか》』のある方向に視線を向けた。

「？　どうしたの？」

異常に気付いた美影が、警戒《けいかい》を解かぬまま問いかけるが、鯨木は答えない。

やがて彼女は、無《む》表情のまま大きな溜息《ためいき》を吐き出した。

「やはり……静雄《しずお》は鬼門《きもん》でした」

「？」「？」

ヴァローナと美影が共に疑問符を浮《ふ》かべる横で、鯨木は残念そうに言葉を漏《も》らす。

「……最後の『取引』は失敗です」

「浮き足だった罪歌《さいか》では、『彼女』を押さえきれませんでした」

♂♀

建築途中《とちゅう》ビル　最上部《さいじょうぶ》

ビルの縁《ふち》に腰掛《こしか》け、地上の様子《ようす》を眺《なが》めながら、仇敵《きゅうてき》の到着《とうちゃく》を待っていた折原臨也《おりはらいざや》。

『屍龍《ドラゴンゾンビ》』の面子《メンツ》は、既《すで》に屋上から退去させている。平和島静雄《へいわじましずお》相手では、並大抵《なみたいてい》の暴走族《ぼうそうぞく》では足手《あしで》まといにしかならないと解《わか》っていたからだ。途中《とちゅう》ですれ違って殴《なぐ》り潰《つぶ》されるかもしれないが、そこまでは臨也の知った事ではない。

ぼんやりと下を眺《なが》める彼の視界《しかい》に、一つの異常が映し出される。

それは、罪歌が変化したワイヤーが千切《ちぎ》れ、交差路《こうさろ》の中心に落下《らっか》する光景《こうけい》だった。

次の瞬間《しゅんかん》、膨大《ぼうだい》な影の塊《かたまり》が一瞬《いっしゅん》にして収縮《しゅうしゅく》し、一つの『人型《ひとがた》』が顕現《けんげん》する。

人型は周囲に影を蜘蛛《くも》の巣のように伸ばし、その上に立つ事で同じ位置に浮かんでいるように見えた。

だが、それも臨也にとっては珍《めずら》しくない光景《こうけい》である。

セルティが理性《りせい》を取り戻した。

臨也は最初、そう判断《はんだん》したのだが——何か様子《ようす》がおかしい。

そこに現れた人型は、ライダースーツではなく、中世風《ちゅうせいふう》の厚い鎧《よろい》を身に纏《まと》っている。光を反射しない所を見ると、あれも『影』でできているのだろう。

更《さら》に、セルティと最も違う特徴《とくちょう》は——

小脇《こわき》に、人間の女性の頭部を抱えている事だった。

首には、もちろん見覚《みおぼ》えがある。

影から生まれた『それ』は、上下左右をゆっくりと見回し、臨也の存在に気が付いた。

『それ』は首を抱えたまま、影で階段を造り、ゆっくりと臨也に歩み寄る。

声の届く距離まで来た所で、臨也の方から話しかけた。

「やあ、セルティ。首を取り戻した気分はどうだい？」

だが、反応は無かった。

少しの間を置いた後、小脇《こわき》に抱えた『首』が、ゆっくりと口を開く。

そして、心と鼓膜《こまく》、両方に語りかけるような不思議《ふしぎ》な声で、『首』は臨也に語りかけた。

「【お前は、誰《だれ》だ？】」

と、一部の人間達《たち》に深い絶望を与える一言《ひとこと》を。

「そうか。君はもう、俺《おれ》の知ってるセルティじゃないんだね」

臨也《いざや》は、薄く微笑《ほほえ》んだ後——あれほど望んでいた、『人間の魂《たましい》』や『死後《しご》の世界』について聞く事をせず、ただ、突き放すように言葉を紡《つむ》ぐ。

「俺もね、今は君なんかに構ってる場合じゃないんだ」

「【……】」

「俺の事を知らないなら、消えてくれ」

すると、『首』は、暫《しば》し沈黙《ちんもく》した後、同じ調子で呟《つぶや》いた。

「【私を見た事は忘れろ、人間】」

その後、ビルの下方に降りていく『デュラハン』を見送った後——

臨也は大きく溜息《ためいき》をついた後、空を仰《あお》ぎ、

「滑稽《こっけい》だね、全く。愚《おろ》かにも程《ほど》がある」

と、苦笑交《くしょうま》じりの独《ひと》り言《ごと》を呟いた。

その意味を問う者も周囲にはおらず、ただ、夜の闇《やみ》が広がり続ける。

ただ、彼はその時、先刻まで輝いていた筈の星が全て消えている事に気が付いた。

地上のネオンを反射する事もなく、本当の漆黒《しっこく》が空を覆《おお》い尽くしている。

まるで、空の蓋《ふた》が急に閉じてしまったかのように。

しかし、それも今の彼にとっては、どうでもいい事だった。


折原《おりはら》臨也は、待ち続ける。

長年放置《ほうち》して来た因縁《いんねん》を、この手で閉ざす瞬間《しゅんかん》を。

――因縁か。そんな大層《たいそう》なものかな。

――ゴキブリを嫌悪《けんお》して反射的に叩《たた》き潰《つぶ》す事を、因縁って言っていいかどうかって話だ。

星の消えた空の下で、臨也は自分と平和島《へいわじま》静雄《しずお》の因縁について考える。

これから、平和島《へいわじま》静雄《しずお》は自分を殺しに来るのだろう。

もちろん今までも何度も殺しに掛かってきたのだが、今回は、明らかに違う。

先刻の電話から聞こえてきた静雄の声には、苛立《いらだ》ちや理性《りせい》を伴《ともな》わぬ怒りではなく、純然《じゅんぜん》たる『殺意《さつい》』があった。

こちらもフォークリフトを落としはしたが、殺すつもりがあったわけではない。

ただ、相手が死んでも構わないと思っただけの話だ。

それなのに、向こうは確実にこちらを殺しに向かっている。

あるいは、ヴァローナを巻き込まなければ、ここまでの殺意《さつい》は抱《いだ》かなかったかもしれないが、
そうだとするならば、人間の為《ため》に自分に殺意を向けてくる事が滑稽《こっけい》に思えた。

同時に、強い苛立《いらだ》ちも覚えた。

あのような埒外《らちがい》な怪物《かいぶつ》が、人間の運命をただ常識外《はず》れの暴力《ぼうりょく》で全て平らにならしてしまう存在が、やはり臨也《いざや》には許せない。


竜ヶ峰帝人《りゅうがみねみかど》という少年に起こりつつある、周囲の人間達を巻き込むパレード。

自分がまだ見た事のない人間の一面が見られるかもしれないと、折原《おりはら》臨也は、珍《めずら》しく期待に胸を膨《ふく》らませていた。

彼は人間のあらゆる行動を愛している。

『祭』がどんな結末《けつまつ》になろうと、その結果に不満を言う事は無いだろう。

ここで帝人が急激《きゅうげき》に心変わりをして、なんの揉《も》め事も起こさずに紀田正臣《きだまさおみ》と和解《わかい》したとしても、臨也はその結果を尊重《そんちょう》する。

それもまた、竜ヶ峰帝人という少年が選んだ人生なのだから。

人生。

人として生きる事。

臨也が他人に求める事は、基本的にはそれだけだった。

彼が他人の生き方にちょっかいを出すのも、人間としての反応を見たいからだ。

その結果、相手が破滅《はめつ》しようが、命を失う事になろうが、それもまた人間の末路《まつろ》として楽しむ事ができる。

しかし、怪物達は、そんな人間の運命をあっさりと覆《くつがえ》してしまう。

魔術《まじゅつ》めいた能力で、あるいは常識外《はず》れの腕力《わんりょく》で。

臨也には、それが許せなかった。

人間の生き方は、人間が決めなければならない。

自然の猛威《もうい》というならば納得《なっとく》ができるが、台風のような力が、さも人間であるかのような人格を持ち、人間の振りをして人間の生き方を左右するなど、あってはならない事だ。

そこまで考えたところで、臨也はふと、友人が過去に言っていた事を思い出す。

――「静雄《しずお》が怪物だとすると、君はなんだい」

――「腕力と知力の差はあっても、彼と対等に渡り合う君は、自分をどう思ってるのかな？」

――「怪物を倒す英雄になりたいのかい？」

――「それとも、人間は自分の物だっていう、怪物同士の縄張《なわば》り争いのつもりかい？」

こんな時に何故《なぜ》そんなことを思い出したのかと疑問に思いつつも、臨也は無意識のうちに苦《く》笑《しょう》していた。

「とんだ勘違《かんちが》いだよ、新羅《しんら》」

夜の闇《やみ》の中、一人呟《つぶや》き始める。

「俺《おれ》は、対等《たいとう》に渡り合った事なんかないさ」

細めた目の中に、今までと違う、何らかの覚悟《かくご》に満ちた光が宿る。

「今からやるのは、れっきとした怪物退治《かいぶつたいじ》だ」

散々《さんざん》言い訳《わけ》を考えた挙《あ》げ句《く》、臨也《いざや》はそこに辿《たど》り着いた。

「彼を倒せば、俺は、ようやく自分が人間だって実感できるかもしれない」

因縁《いんねん》という単語いは、言い掛かり、という意味も含まれている。

――ああ、そうだな。

――俺の言う事は、周りから見たらただの言い掛かりなんだろう。

臨也はそこで、帰ってスッキリとしている自分に気が付いた。

――俺はこれから、ただの言い掛かりで、平和《へいわ》島静雄《じましずお》を消してやろうと思ってる。

そんな事を考えて気が楽になる自分は、果たして人間らしいのかどうか。

もはや、どうでも良かった。

平和島静雄さえ消えれば、自分はその因縁から解き放たれる。

自分は、人間として人間が好きなのか？

それとも、人間の癖《くせ》に超越者《ちょうえつしゃ》を気取って人間を見下《みくだ》して楽しんでいるのだろうか？

臨也としてはどちらでも構わなかったのだが、一つだけ気にくわない事があった。

あの平和島静雄という、人間の領域《りよういき》を逸脱《いつだつ》してしまった化け物《ばもの》
平和島静雄を排除《はいじよ》する事で、自分を人間の一人として見る事ができるかもしれない。

今まで嘯《うそぶ》いてきた事が、真実になるかもしれない。

波江《なみえ》や新羅の皮肉《ひにく》に対して、心の底から、『もちろん、俺は自分が好きだ。俺も人間だからね』と答える事ができるかもしれない。

妙《みよう》な感覚だが、そんな下らない一言《ひとこと》の為《ため》に、自分の命を賭《か》けても良いとすら思えて来た。

誰《だれ》もいない屋上で、彼は静かに、どこか人間味《み》のある笑《え》みを浮かべた。

呪《のろ》いのような関係から解放された先に広がる世界に思いを馳《は》せ——やがて彼は、どんな世界であろうと変わらない、一つの結論《けつろん》を口走《くちばし》る。


「うん……。やっぱり俺は、人間が大好きだ」

星一つ無い漆黒《しつこく》の空に呟かれたその言葉は、まるで遺言《ゆいごん》のようだった。

接続章　蟷螂《かまきり》の斧

Durarara!! 12 Ryohgo Narita Na-9-45

新羅《しんら》のマンション

「ったく、洒落《しゃれ》になってねえぞ、門田《かどた》の旦那《だんな》よお！」

「急ぎましょう、このままじゃ門田さん、死亡フラグの回収《かいしゅう》フラグっすよ」

「よく解《わか》らねえが、死亡とか縁起《えんぎ》の悪いこと言うな馬鹿《ばか》！」

狩沢《かりさわ》からの報を聞き、慌《あわ》てて門田を探そうとマンションを出ようとする渡草《とぐさ》と遊馬崎《ゆまさき》。

すると、玄関《げんかん》まで来た所で、インターホンのチャイムが鳴り響《ひび》いた。

「クソ、こんな時に！」

岸谷森厳《きしたにしんげん》かエゴールが戻ったのだろうか。

エミリアがいるから、そのまま客とすれ違って外に出よう。

そう思った渡草は、構わず扉《とびら》を開けたのだが——

次の瞬間《しゅんかん》、今まで生きてきた中で最も大きく瞼《まぶた》を見開く結果となった。

目が細い遊馬崎《ゆまさき》ですら、三白眼《さんぱくがん》になるほどの勢いで目を丸くしていた。

「……よう」

来客は、顔に脂汗《あぶらあせ》を掻《か》きながらも、ニヤリと笑う。

「俺《おれ》は岸谷《きしたに》の家に来たつもりだったんだが……なんでお前らが出てくんだ？」

「かっ……か、かかかか」

あまりの事に血圧が上がり、渡草《とぐさ》は上手《うま》く言葉が紡《つむ》ぎ出せなくなる。

代わりに、遊馬崎が大声でその来客の名を呼び上げた。

「か……門田《かどた》さん！　無事《ぶじ》だったんすか⁉」


「……そうか、そんな事があったのか」

渡草と遊馬崎から事情を聞いた門田は、ソファーに座りながら大きく息を吐き出した。

症状《しょうじょう》を見たエミリアの手によって、他の薬との飲み合わせなどを考えた痛み止めを処方《しょほう》された門田。入院着《ぎ》から病室に置いてあった私服に着替えたらしいが、流石《さすが》に父親もニット帽《ぼう》までは持ってきていなかったらしく、普段《ふだん》とは違う雰囲気《ふんいき》を醸《かも》し出していた。

そんな彼に対し、渡草が問う。

「門田はなんでここに？」

「……いや、ここなら、痛み止めとか色々薬があると思ってな。ビンゴだったぜ」

「病院にいろよ！　そもそも、なんで抜け出したんだよ！」

至極《しごく》当然な指摘《してき》に対し、門田はバツが悪そうに答える。

「まあな……それに関しちゃ、病院に迷惑《めいわく》かけちまった。後できちんとワビは入れる」

「かっこつけてる場合じゃねえだろ！　お前、まともに歩けるかどうかも解《わか》らねえって状態なのによ……！」

それに続く形で、珍《めずら》しく遊馬崎も門田を批難《ひなん》する。

「そうっすよ！　俺や狩沢《かりさわ》さんはともかく、アズサちゃんが聞いたらどう思うか！　彼女の気持ち、気付いてないわけじゃないでしょうに！　三次元《げん》いけるくせに、立ったフラグをわざわざ折る気っすか！」

「……すまねえ。ただ、寝てる場合じゃなくてな」

「寝てる場合だろうがよ！　大方《おおかた》、お前一人で轢《ひ》き逃げ野郎《やろう》とケリつけに行こうとしてんだろ！　無理《むり》すんな！　俺達を少しは頼れよ！　相手の面《つら》の特徴《とくちょう》を教えてくれりゃ、すぐに俺がそいつをチェーンで引き摺《ず》ってくるからよ！」

「それはそれで不安だなオイ。……だけどな、そういう話でもねえんだ。おい、狩沢はどこだ」

「ああ、今、町でお前を探してるよ！　すぐに連絡《れんらく》しねえと……」

すると門田は、表情を険《けわ》しくてして渡草に言った。

「すぐに、このマンションに来るように言ってくれ。それか、自分の家にすぐ帰って外に出るなってな。……アズサにも、そうメール回してくれねえか」

携帯《けいたい》電話は父親が持ったままらしく、門田《かどた》は今連絡《れんらく》手段を持っていないらしい。

だが、その切羽《せっぱ》詰《つ》まった表情を察して、遊馬崎《ゆまさき》が狩沢《かりさわ》に連絡を取り始めた。

「なんだよ、どうしたってんだよ、一体」

渡草《とぐさ》の問いに、門田は表情を険《けわ》しくする。

「俺《おれ》がここに来たもう一つの理由は……セルティに相談しなきゃならねえ事があったからだ」

「首無《くびな》しライダーに？」

「ああ……俺を撥《は》ねた奴ら、これは、どっちかっつうと、あいつの管轄《かんかつ》だ」

右手で目頭《めがしら》を押さえ、苛立《いらだ》たしげに言葉を続ける。

「タクシーで通っただけでも、何人もいやがった……」

「……？　何がだよ？」

渡草の問いに答える前に、門田はシンプルな現状を口にした。

「街がな……相当ヤバイ事になってやがる」

♂♀

深夜　露西亜寿司《ロシアずし》　店内

「ったく、静雄《しずお》はともかく、ヴァローナも無断欠勤《むだんけっきん》とはなあ。お陰で今日《きょう》は寂しい外回りになったもんだぜ」

大理石《だいりせき》でできたカウンターで、熱い緑茶《りょくちゃ》を啜《すす》りながらそんな事を言うのは、静雄とヴァローナの仕事の上司《じょうし》である、田中《たなか》トムだ。

店は閉店間際《まぎわ》であり、残った客はトムと、少し離れたカウンター席にいるスキンヘッドの男だけとなっている。

「ったく、例の襲撃《しゅうげき》のせいでパトカーがそこら辺をやたらと走りまくってるしよ。物騒《ぶっそう》な世の中になったもんだぜ」

警察に拘留《こうりゅう》されていた静雄が釈放《しゃくほう》されたという事を、トムはまだ知らない。

普段《ふだん》ならば静雄が弟の次ぐらいに連絡する所なのだが、ヴァローナの一件をどうしてよいか解《わか》らず、敢《あ》えて連絡を取らずにいたようだ。

そのため、まだ静雄が警察署《しょ》にいると思っているトムは、一人寂《さび》しく露西亜寿司のカウンターで遅めの夕食をとっていたのである。

ヴァローナが無断欠勤《むだんけっきん》したという話を聞き、店長のデニスが深く頭を下げる。

「悪いな。顔を出したら、俺達《おれ》からもキツく言っておこう」

「いや、いいよ。これは、俺らの仕事場の問題だしさ。それに、ヴァローナも、静雄《しずお》があんな事になってショックを受けてるだろうからな」

すると、客が帰った後の座敷《ざしき》を片付けていたサイモンが戻って来て、肩を大きく竦《すく》めながらトムに言う。

「オー、静雄、いい奴《やつ》ヨ。エン罪ネ。エン罪のエンって何？　人と人のエン？　エンガワのエン？　トム、エンガワもう一貫《いっかん》いかガ？　今なら支払い日本の¥《えん》でOKヨ」

「寧《むし》ろ日本円が使えない日なんてあるのか？　せっかくだけど、これ以上食うと金が……」

「気にする事ないネ！　ツケにするヨ！　無い袖振《そでふ》るのも多少のエンって言うからネエ！」

「あんた、やっぱり本当は日本語達者《たっしゃ》なんじゃねえか……？」

そんないつも通りの会話を終え、トムは支払いを済ませて店を出ようとした。

出入り口の扉《とびら》を開け、トムが外の景色《けしき》に目を向けた瞬間《しゅんかん》——

「……ん？」

彼は、思わず足を止める。

具体的に、何か視界《しかい》の中にあったというわけではない。

ただ、街の風景を眺《なが》めた瞬間、強烈《きょうれつ》な『違和感《いわかん》』が湧《わ》き上がったのだ。

——あぁ？

——なんだ？　なんか……妙《みょう》だ。

ゆっくりと周囲を見回すトムだが、違和感の正体《しょうたい》は分からない。

だが、街の景色というより、そこにいる人々に妙な感じを覚えた。

——あれ？

と、そこで彼は気付く。

——なんか……多くね？

——あれ？　え？　だって今、もうこの店も閉店《へいてん》作業に入ってたよな？

携帯《けいたい》電話を取りだして時刻《じこく》を見ると、既《すで》に0時を回っている。

しかし、それにしては外を歩く人の数が妙に多い。

夏休みだから夜遊びする学生が多いという事を考えても、これだけパトカーが出回っている中で、ここまで賑《にぎ》わうものだろうか？

まるで夜9時前後《ぜんご》の賑わいだと思いつつ、トムが首を傾《かし》げていると——

彼は、遠くから自分を見つめる男がいる事に気が付いた。

「ん？」

見覚えの無い男だ。そう思いかけたのだが、何かが引っかかる。

合い鍵屋《かぎや》の後ろにある駐車場《ちゆうしやじよう》、その隅《すみ》に立っていた数名の男女のうちの一人が、こちらに顔を向けていた。

眼鏡《めがね》をしっかりとかけ直し、数歩近づきながら顔を良く確認《かくにん》する。

――ああ……。

――どっかで見た面《つら》だな。撮《と》り立ての写真だったか……。

――でも、あんなホストみてえな髪型《かみがた》じゃなかったような……。

そんな事を考えていると、視界《しかい》に別の男が映り込んだ。

通行人の一人、サラリーマンらしき男がこちらに気付き、笑いながら近づいて来たのだ。

「え？」

最初はこの店に入ろうとしているのかと思ったが、ラストオーダーの時間も過ぎ、既《すで》に暖簾《のれん》を下げている状態である。

そもそも、そのサラリーマンは店ではなく、はっきりとこちらに視線を向けていた。

――なんだ？　酔っ払《よぱら》ってんのか？

トムはそう思い、男の顔をマジマジと見る。

確かに、男の顔は赤かった。

ただし、顔の皮膚《ひふ》ではなく――

眼球の白目《しろめ》部分が、異常なまでに充血していたのだが。

「!?」

何かがおかしい。

そう思ったトムは、店の中に入ろうと一歩下《さ》がった。

すると、サラリーマン風《ふう》の男は急に駆《か》け出し、こちらに駆け出してくる。

手には何も持っていない。だが、妙《みょう》な殺気《さっき》のようなものを感じ、トムは思わず身を竦《すく》めた。

サラリーマンは、鋭く手を伸ばし——歯か何かで削《けず》ったのか、ノコギリ状になった爪《つめ》をトムの肌《はだ》に突き立てようとする。

「うおおっ!?」

慌《あわ》てて悲鳴をあげるトム。

だが、その爪が届く直前、男の身体《からだ》がビタリと止まった。

「……?」

トムが見ると、男の腕が、サイモンの太い手によって摑《つか》まれている。

「オー、お客さん、喧嘩《けんか》良くないネ。寿司《すし》食べるといいけど、もう閉店ヨ。明日《あした》来る、楽しみにしてるヨ。お客さんなら時価《じか》もスペシャルにしておくヨ」

そんな事を言って、サイモンは男の腕を離すついでに、ヒョイと前に押し出した。

バランスを崩《くず》し、数歩後退《こうたい》する男。

サイモンは入れ替わりにトムの腕を取り、店の中に引き入れる。

「え、おい」

そのまま扉《とびら》を閉め、サイモンは入口の鍵《かぎ》を内側から閉めてしまった。


「……何の騒《さわ》ぎだ？」

カウンターに残っていた最後の客、スキンヘッドの男が訝《いぶか》しげにサイモンとトムを見た。

サイモンがロシア語で二言三言《ふたことみこと》デニスに告げる。

その表情からは珍《めず》しく笑いが消えており、彼の言葉を聞いてデニスも顔を顰《しか》め、窓から店外《てんがい》の様子《ようす》を観察した。

続いて、デニスは店長として、スキンヘッドの男とトムに告げる。

「お客さん、今は出ない方がいいぜ」

「どういう事だ？」

スキンヘッドの男の問いに、店長は窓に視線を向けた。

釣《つ》られる形で、トム達が窓の外を見る。

「……」

「おいおい、なんだこりゃ」

スキンヘッドの男は黙《もく》し、トムは露骨《ろこつ》に顔を顰めた。

窓の外に広がっていたのは、ただ、いつもの街並みの中に人がいる光景《こうけい》だった。

一つだけ違っていたのは――

街をゆっくりと歩く人々が、全員赤い目をこちらに向けているという事だけだった。

♂♀

池袋《いけぶくろ》　コインパーキング

「ちっ……しくじったか」

舌打《したう》ちをしながら、那須島隆志《なすじまたかし》は大仰《おおぎょう》に溜息《ためいき》を吐き出した。

「しかし、やっぱり俺の顔を覚えてるみたいな反応だったな。平和島静雄《へいわじましずお》と鉢合《はちあ》わせる前に確《かく》認《にん》しておいて良かったぜ。変装《へんそう》は続けた方が良さそうだな」

そんな事を言いながら、那須島はマスクとサングラスを身につける。

「俺が街にいる事がバレても不味《まず》いからな。あのドレッドはなんとしてもここで『罪歌《さいか》』に引き入れる。平和島静雄に対する切り札《きふだ》になるかもしれないからなぁ」

笑いながら言う彼のとなりでは、四十万《しじま》がガクガクと震えていた。

「なんだよ……これ……あいつらと同じじゃないか……」

彼が思い出すのは、折原臨也《おりはらいざや》の部下《ぶか》の手によって斬《き》られた『アンフィスバエナ』の面々《めんめん》。

ミミズを初めとするメンバー達は、まるで宇宙人《うちゅうじん》に身体《からだ》を乗っ取られたかのように、目を赤く光らせながら、斬った相手に服従《ふくじゅう》していた。

「君は、気しなくていいぞ。君は斬らないように命じてある。今の所はな」

「え、あ、はい……」

那須島《なすじま》は、罪歌《さいか》について四十万《しじま》に何も説明しない。

気にしなくていいと言われた事が余計《よけい》に不安だったが、そんな四十万に追い打ちを掛《か》ける形で、那須島が問いかけた。

「ところで四十万君、ダラーズには上手《うま》く潜《もぐ》り込めてるかい？　例の作戦は上手く行った？」

「え？　あ……はい。多分」

「多分じゃ困るんだよ。多分じゃ」

「す、すいません！」

思わず謝る四十万に、那須島は笑う。

「そう恐縮《きょうしゅく》するなって。罪歌は完全には応用が利かないし、操《あやつ》ってる時は赤目《あかめ》になってバレバレだからな。四十万君みたいに、まともなまま協力してくれる人ってのは貴重《きちょう》なんだよ」

「は、はあ……」

「しかしまさか、こんなに速いペースで『孫』を増やせたとはな。爪《つめ》や歯も『罪歌』扱いになるとは、実験を続けた甲斐《かい》があった。要は、痛みか恐怖《きょうふ》が少しでもありゃいいんだ。鯨木《くじらぎ》のルートどころじゃない。粟楠会《あわくすかい》の縄張《なわば》りまでゴッソリと喰い漁《あさ》れるぞ」

「あの……こんな力があるなら、粟楠会どころか、世界を支配できるんじゃ……」

すると那須島は、大仰《おおぎょう》に首を振りながら言った。

「違う違う、四十万君、上を見すぎるのは良くないぞ？　そりゃ世界全員を支配できたら素敵《すてき》な事だろう、だが、俺《おれ》は別に、王様になりたいわけじゃないんだ。ただ、たっぷりの金でたっぷりと贅沢《ぜいたく》して、好きな時にいい身体《からだ》の女を好きなようにできれば十分なんだよ」

『好きな女』と言わなかったあたりにこの男の本質を見た気がして、四十万は僅《わず》かに気が滅入《めい》る。しかし、彼が恐ろしい『力』を持っているのは確かだ。

切り裂《さ》き事件が再発すれば大きな騒《さわ》ぎになるというのに、彼は躊躇《ためら》わなかった。防犯《ぼうはん》カメラの無い場所で、数名の『孫』でターゲットを囲み、相手が焦《あせ》った瞬間《しゅんかん》に罪歌の刃《やいば》——小さなナイフから、爪や歯、あるいは手に仕込んだ安全ピンに到るまで、様々《さまざま》なものを利用して斬り付ける。

それだけで十分だった。

以前の事件が派手《はで》に取り扱われていたのは、相手が病院での治療《ちりょう》を必要とするまで斬り付けていたからという側面がある。

那須島《なすじま》はそれを知り、できるだけ目立たず、しかし速《すみ》やかに『孫《まご》』を増やす実験を繰り返し、簡易《かんい》的なメソッドを造り上げたのだ。

そんな所だけ元教師《もときょうし》という特性《とくせい》を発揮《はっき》した那須島は、かつての教え子である女に声をかける。

「こんな力を手に入れたのも、全部お前のお陰だ、感謝《かんしゃ》してるぞ、春奈《はるな》」

憧《あこが》れであった男にそう声を掛けられたのは、四十万《しじま》と反対側に立っていた贄川《にえかわ》春奈だ。

昨日《きのう》までの彼女なら、那須島からそんな言葉を掛けられた場合、感激《かんげき》のあまり気を失っていたかもしれない。

しかし、今の彼女は那須島の方に顔すら向けず、ただぼんやりと薄く笑うだけだった。

「……はい」

彼女の様子《ようす》を横目《よこめ》に見て、四十万は心中《しんちゅう》で首を傾《かし》げる。

——この女……折原臨也《おりはらいざや》の仲間だった筈《はず》だよな。

——ああぁあ、やべえよ、もうわけがわかんねえよ。

何も知らされぬまま、混乱の渦《うず》へと落ちていく四十万。

げっそりとした表情の彼の横では、那須島が僅《わず》かに露出《ろしゅつ》した肌《はだ》をつやつやと輝かせた。

「さて、明日中《あすじゅう》だ。いや、もう今日《きょう》か……今日中に、全部のケリをつけるぞ、春奈」

「……はい」

「それが終わったら、お楽しみだ。また可愛《かわい》がってやるから楽しみにしておけよ、春奈ぁ……」

舌《した》なめずりと共に下卑《げび》た声を出す那須島。

彼の視線は贄川の顔から胸元《むなもと》へと移り、更《さら》に下へと下がっていく。

そんな性欲しか無い視線で睨《ね》め回されているにも関わらず、女——贄川春奈は、感情の無い声で、充血した目をうつろに輝かせながら一言《ひとこと》だけ口にした。


「……はい、母さん」

と、罪歌《さいか》に完全に自我《じが》を奪《うば》われた証《あかし》である言葉を。


罪歌が広めるものが愛だとするならば、那須島は確かに愛に満ちあふれた男だった。

自分自身《じしん》の欲望に全てを捧《ささ》げるという、罪歌の呪《のろ》いと良く似た愛。

ナルシズムとも違う歪《いびつ》な自己愛《あい》ではあるが、それも確かに一つの愛の形なのかもしれない。

この時点で、那須島が支配している『罪歌』の『孫』は、およそ二千三百人。

そこには思想《しそう》など欠片《かけら》も無い。

ただ、下卑た欲望だけが街に広まっていく。

鯨木《くじらぎ》のような『節度《せつど》』を持たない那須島の暴走《ぼうそう》は終わりを見せる事もなく、最も歪《いびつ》な形で池袋の街を侵食《しんしょく》しつつあった。

廃《はい》ビル

池袋《いけぶくろ》の街で、何かが起こっている。

そんな、殆《ほとん》ど確信と言ってもいい予感《よかん》が帝人《みかど》の心に湧《わ》き上がる。

♂♀

ブルースクウェアの面子《メンツ》が車や近場《ちかば》の漫画《まんが》喫茶《きっさ》で寝泊《ねと》まりしている中、帝人は未《いま》だに廃ビルの中に残っていた。

夜に起きてる面々《めんめん》がビルの一階にいるが、帝人はまだ、眠る気にはなれなかった。

夕方にテレビで流れた首の放置《ほうち》事件。更《さら》に、警察車両《しゃりょう》が池袋で襲撃《しゅうげき》されたというニュース。

そして、先刻《せんこく》のチャット。

自分とダラーズに関わっている事件の裏側で、池袋の中に別の『何か』が進行しつつある。

しかもそれは、明らかにセルティのようなオカルト的な何かが関わっている事件だ。

帝人は、そんな状況に胸を躍《おど》らせない自分に、軽く驚いていた。

中学の頃《ころ》の自分ならば。

あるいは、ダラーズの初集会の頃の自分ならば、新しい非日常に出会えるかもしれないと、心は踊《おど》り、胸には熱い思いを滾《たぎ》らせていた事だろう。

だが、今はどうだろうか。

自分の胸に手を当てて見ても、なんの感動も湧き上がってはこない。

心の内を例えるならば、『どうでもいい』という感情の方が強かった。

知り合いであるセルティが心配だという気持ちはある。しかし、それはあくまで知り合いが事件に巻き込まれないかと心配する、到って常識《じようしき》的な感情だ。

非日常そのものに憧《あこが》れた『自分』が消えてしまっている事に、帝人は少なからず戸惑《とまど》いを覚える。

――なんだろう。

――自分が、自分じゃなくなっていく気分だ。

ダラーズとTo羅丸《とらまる》の抗争《こうそう》があったあの日、青葉《あおば》の手にボールペンを刺《さ》した瞬間《しゆんかん》から、常に軽い目眩《めまい》のようなものを感じている。

それは日増しに強くなり、気付けば、自分が見た事もない風景に立っていた。

普通ならば、焦《あせ》るのかもしれない。否定するのかもしれない。

こんな筈《はず》ではなかったと。自分はこんなつもりではなかったのだと。

しかし。

竜ヶ峰帝人《りゅうがみねみかど》は、その全てを受け入れた。

自分は、人を殺す事になるのかもしれない。

逆に、殺されるのかもしれない。

あるいは、自殺するのかもしれない。

そんな予感《よかん》に満ちた現在の状況すらも、日常の一部として受け入れてしまったのである。

――でも、死にたくないし、人殺しになんてなりたくないなあ。

状況を受けいれておきながら、心は至極《しごく》真っ当《とう》な反応を示す。

――でも、せっかく貰ったんだし、ちゃんと使わないと悪いよね。

やはり、そんな日常めいた思考《しこう》回路のまま――

帝人は、この日本において、非《ひ》日常極《きわ》まりないものを手に取った。

それは、場所によっては実に日常的な道具である。

実際、黄巾賊《こうきんぞく》とダラーズが以前に揉《も》めた時に、法螺田《ほらだ》という男もそれを所持《しょじ》していた。

もっとも、帝人はギリギリの所で『それ』を見る事はできなかったのだが。

軽く溜息《ためいき》を吐《つ》きながら、帝人は、新聞紙に包まれていたその物体をゆっくりと手に取った。

「たしか……撃《う》つ瞬間《しゅんかん》以外は、指を引き金に入れちゃいけないんだよね」

彼が手にしたのは、黒光りする、一丁《いっちょう》の自動拳銃《けんじゅう》だった。

泉井《いずみい》が『手土産《てみやげ》』として渡したのは、他でもない、この所持するだけで犯罪となる凶器《きょうき》であり——れっきとした、『武器《ぶき》』だった。

本来ならば、それは今さらな物とも言えた。

法螺田が静雄《しずお》を撃った時も、静雄を殺傷《さっしょう》する事はできず、セルティに至っては遥かに強力なライフル銃の実弾《じつだん》を防いでいる。

更《さら》に言うならば、静雄はこの夜の間に、ヴァローナにも銃を向けられていた。

だが、それはあくまで静雄やセルティの範疇《はんちゅう》の話であり——

竜ヶ峰帝人という少年がそれを握った事は、彼《かれ》自身の、そしてダラーズの立ち位置が大きく変わる事を示していた。

当然ながら、何も知らない一般人《いっぱんじん》が、簡単に撃てるものではない。ましてや、狙《ねら》った的《まと》に当てる事は至難《しなん》の業《わざ》となるだろう。

しかしそれは、状況次第《しだい》でどうとでもなる事だ。

撃ち方さえ解《わか》っていれば、相手に密着《みっちゃく》すれば素人《しろうと》でも当てる事は可能である。実際、少し離れていた状態からでも、法螺田は見事に平和島《へいわじま》静雄の脇腹《わきばら》と足に命中《めいちゅう》させている。

寝込みを襲《おそ》えば、簡単に命を奪《うば》う事もできるだろう。

ただしそれは、相手を殺す覚悟《かくご》があればの話だ。

密着《みっちゃく》して撃《う》つという使い方ならば、包丁《ほうちょう》とさして変わらないだろう。

しかし、『脅《おど》しの道具』としては、これほど効果的なものもない。

果たして竜ヶ峰帝人《りゅうがみねみかど》がそれをどのように使うのか、青崎《あおざき》はそれを試す意味も含めて泉井《いずみい》を通じて渡したのだろう。

粟楠会《あわくすかい》の基準から言っても、十分まともではないやり口だ。

そして、まともではない意図《いと》で拳銃《けんじゅう》を渡された帝人は、極めて日常的な目つきでそれを見る。

デジタル化でボタンの増えたテレビのリモコンを眺《なが》める時と同じ目であり、そこには余計《よけい》な興《こう》奮《ふん》も恐怖《きょうふ》もない、到って自然な光が湛《たた》えられていた。

「銃って怖《こわ》いよね。震えがとまらないよ」

普通の少年のような事を口にするが、帝人の中では、別の感覚が芽生《めば》えていた。

――なんだろう。

――怖がらなきゃいけない筈《はず》なのに……。

――これなら、昨日《きのう》の赤林《あかばやし》さんって人の方がずっと怖いや。

場違《ばちが》いな感想を抱きつつ、帝人は、やはり自然な調子で独《ひと》り言《ごと》を呟《つぶや》いた。

「正しい撃《う》ち方、ネットで調べなきゃね」

覚悟《かくご》など、必要ない。
ダラーズの初《はつ》集会の日、非日常《ひ》への扉《とびら》を開いた時点で、すでに済ませていたからだ。
竜ヶ峰帝人は、その銃を撃つ事ができるだろう。
しかし、それを誰《だれ》に向けるべきなのか。
あるいは、何に使うべきなのかは、どうしても決める事ができずにいた。
この銃を向けるべき選択肢《し》の中に、うっすらと自分の顔も思い浮かべながら——
結局、この時点の帝人には、誰を選ぶ事もできなかったのである。

それが救いと取るべきか、自分の弱さと取るべきかも解《わか》らぬまま。
こんな拳銃を持ったところで、蟷螂《とうろう》の斧《おの》にしかならないと知りながら——
竜ヶ峰帝人は、自分の弱さと、それを取り巻く全てのものを敵に回そうとしていた。

あるいは、池袋《いけぶくろ》の街そのものを。

♂♀

そして、東京は朝を迎える。

だが、時計の針が朝の6時を過ぎようとも、7時を過ぎようとも——池袋《いけぶくろ》の街に、日光が降り注《そそ》ぐ事はなかった。

曇りという言葉すら生ぬるい、漆黒《しっこく》の『影』が街の上を覆《おお》い尽くす。

まるで夜が続いているような光景《こうけい》に、人々は不安がり、朝のニュースでも大々的《だいだいてき》に取り上げられた。

この日、池袋の町に朝は訪れなかったのである。

世間《せけん》的には、『特殊《とくしゅ》な砂塵《さじん》の影響《えいきょう》による自然現象《げんしょう》』として片付けられ、やがては忘れ去られる事件だったが、それは明らかに、超《ちょう》自然的な現象だった。

妖精《ようせい》の影に空を覆われた町の中で——

歪《ゆが》んだ愛の物語が、今、静かに幕を閉じる。

CAST

折原臨也
平和島静雄

セルティ・ストゥルルソン
岸谷新羅

竜ヶ峰帝人
黒沼青葉

紀田正臣
六条千景

園原杏里
三ヶ島沙樹

遊馬崎ウォーカー
狩沢絵理華
渡草三郎

門田京平

ヴァローナ
写楽美影

鯨木かさね

STAFF

イラスト&デザイン
ヤスダスズヒト

装丁
鎌部善彦

編集
鈴木Sue
和田敦

発行
株式会社アスキー・メディアワークス

発売
株式会社角川グループホールディングス

デュラララ!!×12 完
原作：成田良悟
©2013 Ryohgo Narita

あとがき

申し訳ありません、12巻で終わりませんでした……！

というわけで、お久しぶりです、成田です。

以前のあとがきで、12巻で話を一区切りという話をしましたが、色々と悪癖が出た結果、とても一冊で収まる内容ではなくなってしまい、途中で区切る事にさせて頂きました。

13巻がかなり分厚くなる形で、帝人や杏里、正臣に関わる物語がひとまず完結という形になると思いますので、どうぞよろしくお願いします……！


さて、ネタバレも籠めた本編の話をさせて頂きます。

今回は臨也と静雄がラストにあのような事になりましたが、考えてみれば、原作で二人が直接対峙したのは2巻の臨也のマンション前以来かもしれないなあと思うと感慨深いです。

まだ二人の勝敗や生死に関する結末がどうなるのか私自身も解らない状態なので、13巻までしばしお待ち頂ければと思います！

そして、以前に対談で鎌池和馬さんに対して『今さらセルティに首とか戻してオカルト話にしてもしょうがないですからねハハハハハ』という話をした記憶がありますが、鎌池さん&その対談を読んだ読者の皆さん、大変申し訳ありません！　オカルトになってしまいました！

自分でもまさかセルティに首が戻る事になるとは考えていなかったのですが、あの流れで森厳が街を自由に動けたら、そりゃああしますよねえという事に気付いてしまった以上、どうしようもなくなりました。

13巻で果たしてセルティがどうなってしまうのか、新羅の事も記憶から消えてしまっているのかどうか、そして、池袋の街の朝はどうなってしまうのか——。

更に、帝人周りだけではなく、あちらこちらでの揉め事がどう絡むのか、どう決着するのか、果たして誰が笑い誰が泣くのか——藪の中、そう、全てはまだ藪の中です。

せめて藪から最後に飛び出すものが希望でありますようにと思いつつ、13巻に向かって一歩一歩進んでいきたいと思います。

どうか、竜ヶ峰帝人達の物語に最後までお付き合い頂ければ幸いです。

「Gファンタジー」で連載しております漫画版も、いよいよ原作3巻、黄巾賊と正臣の話へと突入しました。

茶鳥木さんの描く『デュラララ!!』は、漫画独自の演出が余すところなく敷き詰められており、私も新鮮な気持ちで作品を読ませて頂いております。

漫画という媒体で新しく生まれ変わる黄巾賊編を、どうぞお楽しみ下さいませ！

近況としては、ここ数ヶ月で色々な事がありましたが、多くの人に支えられてなんとか前向きに生きております。

大電撃文庫展でも『デュラララ!!』の写真撮影コーナー等を作って頂き、スタッフの皆さん、そして来場して下さった皆さんには感謝の言葉もございません!

『デュラララ!!』や『バッカーノ!』が一区切りに向かうのに併せ、色々な事に挑戦して行きたいと思いますので、今後も『デュラララ!!』という作品だけでなく、成田良悟という作家とも末永くお付き合い頂けるよう、頑張ります。


さて、ここからはその『色々な事』のうちの一つの宣伝になりますが……、今月の25日、私がこのあとがきを書いた後に事故などに遭わなければ、メディアワークス文庫より『オツベルと笑う水曜日』という新作が出る予定となっております。

こちらは、当書『デュラララ!!』とリンクする形となっておりまして、セルティや罪歌といった異形が表に出ない、超常要素の無い東京が舞台となった話ですので、どうぞよろしくお願いします。

『デュラララ!!』のキャラが場面背景等にチラリチラリと映るかもしれませんし、逆に、この本の本編中のどこかに『オツベルと笑う水曜日』とリンクしている部分があるかもしれませんので、ちらほらと探してお楽しみ頂ければ何よりです!

※以下は恒例である御礼関係になります。
担当編集の和田《ばびお》さんを始めとする電撃文庫編集部の皆さん。御迷惑をおかけしている校閲の皆さん。並びにアスキー・メディアワークス各部署の皆さん。今回は洒落にならないほど進行でご迷惑を掛けて申し訳ありませんでした……！

いつもお世話になっております家族、友人、作家さん並びにイラストレーターの皆さん。

大森監督や茶鳥木さんを始めとする、アニメ、漫画、ゲーム、様々なメディアミックスで御世話になっている皆さん。

『デビルサバイバー』や『夜桜四重奏』のニューアニメ化プロジェクトなどで御多忙の中、私が原稿を遅らせてしまったにもかかわらず、本作と共に『オツベルと笑う水曜日』のカバーの仕事まで引き受けて下さったヤスダスズヒトさん
そして、この本に目を通して下さったすべての皆様。

――以上の方々に、最大級の感謝を――ありがとうございました！

2013年5月　成田良悟

◉成田良悟著作リスト

「バッカーノ！ The Rolling Bootlegs」（電撃文庫）
「バッカーノ！ 1931鈍行編 The Grand Punk Railroad」（同）
「バッカーノ！ 1931特急編 The Grand Punk Railroad」（同）
「バッカーノ！ 1932 Drug & The Dominos」（同）
「バッカーノ！ 2001 The Children Of Bottle」（同）
「バッカーノ！ 1933〈上〉 THE SLASH ～クモリノチアメ～」（同）
「バッカーノ！ 1933〈下〉 THE SLASH ～チノアメハ、ハレ～」（同）
「バッカーノ！ 1934獄中編 Alice In Jails」（同）
「バッカーノ！ 1934娑婆編 Alice In Jails」（同）

「バッカーノ！1934完結編 Peter Pan In Chains」（同）
「バッカーノ！1705 The Ironic Light Orchestra」（同）
「バッカーノ！2002【A side】Bullet Garden」（同）
「バッカーノ！2002【B side】Blood Sabbath」（同）
「バッカーノ！1931臨時急行編 Another Junk Railroad」（同）
「バッカーノ！1710 Crack Flag」（同）
「バッカーノ！1932-Summer man in the killer」（同）
「バッカーノ！1711 Whitesmile」（同）
「バッカーノ！1935-A Deep Marble」（同）
「バッカーノ！1935-B Dr. Feelgreed」（同）
「バッカーノ！1931-Winter the time of the oasis」（同）
「バウワウ！ Two Dog Night」（同）
「Mew Mew！ Crazy Cat's Night」（同）
「がるぐる！〈上〉 Dancing Beast Night」（同）
「がるぐる！〈下〉 Dancing Beast Night」（同）
「5656！ Knights' Strange Night」（同）
「デュラララ!!」（同）
「デュラララ!!×2」（同）

「デュラララ!!×3」(同)
「デュラララ!!×4」(同)
「デュラララ!!×5」(同)
「デュラララ!!×6」(同)
「デュラララ!!×7」(同)
「デュラララ!!×8」(同)
「デュラララ!!×9」(同)
「デュラララ!!×10」(同)
「デュラララ!!×11」(同)
「デュラララ!!×12」(同)
「ヴぁんぷ!」(同)
「ヴぁんぷ!II」(同)
「ヴぁんぷ!III」(同)
「ヴぁんぷ!IV」(同)
「ヴぁんぷ!V」(同)
「世界の中心、針山さん」(同)
「世界の中心、針山さん②」(同)
「世界の中心、針山さん③」(同)

本書に対するご意見、ご感想をお寄せください。

電撃文庫公式ホームページ 読者アンケートフォーム
http: //dengekibunko.dengeki. com/
※メニューの「読者アンケート」よりお進みください。

ファンレターあて先
〒102-8584 東京都千代田区富士見1-8-19
アスキー・メディアワークス電撃文庫編集部
「成田良悟先生」係
「ヤスダスズヒト先生」係

本書は書き下ろしです。

電撃文庫

デュラララ!!×12

成田良悟《なりたりょうご》

発行　二〇一三年六月七日　初版発行

発行者　塚田正晃

発行所　株式会社アスキー・メディアワークス
〒一〇二-八五八四　東京都千代田区富士見一-八-十九
電話〇三-五二一六-八三九九（編集）
http://asciimw.jp/

発売元　株式会社角川グループホールディングス
〒一〇二-八一七七　東京都千代田区富士見二-十三-三
電話〇三-三二三八-八五二一（営業）

装丁者　荻窪裕司（META+MANIERA）

印刷・製本　加藤製版印刷株式会社

ISBN978-4-04-891746-9 C0193

電撃文庫創刊に際して

文庫は、我が国にとどまらず、世界の書籍の流れのなかで〝小さな巨人〟としての地位を築いてきた。古今東西の名著を、廉価で手に入りやすい形で提供してきたからこそ、人は文庫を自分の師として、また青春の想い出として、語りついできたのである。

その源を、文化的にはドイツのレクラム文庫に求めるにせよ、規模の上でイギリスのペンギンブックスに求めるにせよ、いま文庫は知識人の層の多様化に従って、ますますその意義を大きくしていると言ってよい。

文庫出版の意味するものは、激動の現代のみならず将来にわたって、大きくなることはあっても、小さくなることはないだろう。

「電撃文庫」は、そのように多様化した対象に応え、歴史に耐えうる作品を収録するのはもちろん、新しい世紀を迎えるにあたって、既成の枠をこえる新鮮で強烈なアイ・オープナーたりたい。

その特異さ故に、この存在は、かつて文庫がはじめて出版世界に登場したときと、同じ戸惑いを読書人に与えるかもしれない。

しかし、〈Changing Times,Changing Publishing〉時代は変わって、出版も変わる。時を重ねるなかで、精神の糧として、心の一隅を占めるものとして、次なる文化の担い手の若者たちに確かな評価を得られると信じて、ここに「電撃文庫」を出版する。

1993年6月10日
角川歴彦

電撃文庫

デュラララ!!

成田良悟
イラスト／ヤスダスズヒト

ISBN4-8402-2646-6

池袋にはキレた奴らが集う。非日常に憧れる高校生、チンピラ、電波娘、情報屋、闇医者、そして〝首《デュラハン》なしライダー〟。彼らは歪んでいるけれど――恋だってするのだ。

な-9-7　0917

デュラララ!!×2

成田良悟
イラスト／ヤスダスズヒト

ISBN4-8402-3000-5

自分から人を愛することが不器用な人間が集う街、池袋。その街が、連続通り魔事件の発生により徐々に壊れ始めていく。そして、首《デュラハン》なしライダーとの関係は――!?

な-9-12　1068

デュラララ!!×3

成田良悟
イラスト／ヤスダスズヒト

ISBN4-8402-3516-3

池袋に黄色いバンダナを巻いた黄巾賊が溢れ、切り裂き事件の後始末に乗り出した。来良学園の仲良し三人組が様々なことを思う中、首《デュラハン》なしライダーは――。

な-9-18　1301

デュラララ!!×4

成田良悟
イラスト／ヤスダスズヒト

ISBN978-4-8402-4186-1

池袋の街に新たな火種がやってくる。奇妙な双子に有名アイドル、果ては殺し屋に殺人鬼。テレビや雑誌が映し出す池袋の休日に、首《デュラハン》なしライダーはどう踊るのか――。

な-9-26　1561

デュラララ!!×5

成田良悟
イラスト／ヤスダスズヒト

ISBN978-4-04-867595-6

池袋の休日を一人愉しめなかった折原臨也が、意趣返しとばかりに動き出す。ターゲットは静雄と帝人。彼らと共に、首なしライダーも堕ちていってしまうのか――。

な-9-30　1734

電撃文庫

デュラララ!!×11

成田良悟
イラスト/ヤスダスズヒト

ISBN978-4-04-886562-3

池袋を襲う様々な謀略。消えていくダラーズに関わる者もあれば、なぜか一つの所に集っていく者達もある。その中心にいる首無しライダーが下す判断とは——。

な-9-41　2323

デュラララ!!×12

成田良悟
イラスト/ヤスダスズヒト

ISBN978-4-04-891746-9

新羅を奪われ怪物と化すセルティ。泉井の手によりケガを負う正臣。沙樹は杏里に接触し、門田は病室から消える。混乱する池袋で、帝人が手に入れた力とは——。

な-9-45　2552

バッカーノ! The Rolling Bootlegs

成田良悟
イラスト/エナミカツミ

ISBN4-8402-2278-9

第9回電撃ゲーム小説大賞〈金賞〉受賞作。マフィア、チンピラ、泥棒カップル、そして錬金術師——。不死の酒を巡って様々な人間たちが繰り広げる〝バカ騒ぎ《バッカーノ》〟!

な-9-1　0761

バッカーノ! 1931 鈍行編 The Grand Punk Railroad

成田良悟
イラスト/エナミカツミ

ISBN4-8402-2436-6

大陸横断鉄道に3つの異なる極悪集団が乗り合わせてしまった。そこにあの馬鹿ップルを始め一筋縄ではいかない乗客たちが加わり……これで何も起こらぬ筈がない!

な-9-2　0828

バッカーノ! 1931 特急編 The Grand Punk Railroad

成田良悟
イラスト/エナミカツミ

ISBN4-8402-2459-5

「鈍行編」と同時間軸で視点を変えて語られる「特急編」。前作では書かれなかった様々な謎が明らかになる。事件の裏に蠢いていた〝怪物〟の正体とは——。

な-9-3　0842

電撃文庫

バッカーノ！1932 Drug & The Dominos

成田良悟
イラスト／エナミカツミ

ISBN4-8402-2494-3

新種のドラッグを強奪した男。男を追うマフィア。マフィアに兄を殺され復讐を誓う少女。少女を狙う男。運命はドミノ倒しの様に連鎖し、そして——。

な-9-4 0856

バッカーノ！2001 The Children Of Bottle

成田良悟
イラスト／エナミカツミ

ISBN4-8402-2609-1

三百年前に別れた仲間を探して北欧の村を訪れた四人の不死者たち。そこで不思議な少女と出会い——。謎に満ちた村で繰り広げられる、『バッカーノ！』異色作。

な-9-6 0902

バッカーノ！1933〈上〉THE SLASH ～クモリノチアメ～

成田良悟
イラスト／エナミカツミ

ISBN4-8402-2787-X

奴らは無邪気で残酷で陽気で残酷で優しくて残酷で天然で残酷で——そして斬るのが大好きで……。刃物使い達の死闘は雨を呼ぶ。それは、嵐への予兆——。

な-9-10 0990

バッカーノ！1933〈下〉THE SLASH ～チノアメハ、ハレ～

成田良悟
イラスト／エナミカツミ

ISBN4-8402-2850-7

再び相見える刃物使いたち。だが彼らの死闘《バッカーノ》はもっと危ない奴らを呼び寄せてしまった。血の雨が止む時、雲間から覗く陽光を浴びるのは誰だ——？

な-9-11 1014

バッカーノ！1934 獄中篇 Alice In Jails

成田良悟
イラスト／エナミカツミ

ISBN4-8402-3585-6

泥棒は逮捕され刑務所に。幹部は身代わりで刑務所に。殺人狂は最初から刑務所に。アルカトラズ刑務所に一筋縄ではいかない男達が集い、最悪の事件の幕が開ける。

な-9-19 1331

電撃文庫

バッカーノ！1934 娑婆編
Alice In Jails
成田良悟
イラスト／エナミカツミ
ISBN4-8402-3636-4

副社長は情報を得るためシカゴへ。破壊魔はNYを追い出されシカゴへ。奇妙な集団はボスの命令でシカゴへ。そして、全土を揺るがす事件の真相が——!?

な-9-20　1357

バッカーノ！1934 完結編
Peter Pan In Chains
成田良悟
イラスト／エナミカツミ
ISBN978-4-8402-3805-2

娑婆《シカゴ》を揺るがした三百箇所同時爆破事件と二百人の失踪。獄中《アルカトラズ》で起きた殺し屋と不死者を巡る騒動。それに巻き込まれた泣き虫《ジャ》不良《グジー》少年《ニース》と爆弾魔の運命は——!?

な-9-22　1415

バッカーノ！1705
The Ironic Light Orchestra
成田良悟
イラスト／エナミカツミ
ISBN978-4-8402-3910-3

1705年のイタリア。15歳のヒューイは人生に退屈し、絶望し、この世界の破壊を考え続けていた。そして、奇妙な連続殺人事件が起き、一人の少年に出会い——。

な-9-23　1454

バッカーノ！2002【A side】
Bullet Garden
成田良悟
イラスト／エナミカツミ
ISBN978-4-8402-4027-7

フィーロとエニスの『新婚旅行』に連れられ、日本に向かう事となったチェス。双子の豪華客船が太平洋上ですれ違う時、船は惨劇と混沌に呑み込まれていく——。

な-9-24　1495

バッカーノ！2002【B side】
Blood Sabbath
成田良悟
イラスト／エナミカツミ
ISBN978-4-8402-4069-7

双子の豪華客船は未曾有の危機に瀕していた。チェス達の乗る『エントランス』に衝突しようと迫る、もう一方の『イグジット』。その船上に存在したモノとは——!?

な-9-25　1513

電撃文庫

バッカーノ！1931 臨時急行編 Another Junk Railroad

成田良悟
イラスト／エナミカツミ

ISBN978-4-04-867462-1

幻の『バッカーノ！1931 回想編』に、知られざる大陸横断特急《フライング・プッシーフット》の乗客や事件に絡んだ面々の多数の後日談を大幅加筆！　そして、NYで待つシャーネの許に——。

な-9-29　1705

バッカーノ！1710 Crack Flag

成田良悟
イラスト／エナミカツミ

ISBN978-4-04-868459-0

1710年、イタリア。大西洋上で不死者になる一年前。未だ錬金術を学ぶヒューイや彼に恋心を抱くモニカたちを巻き込み、"始まりの物語"は歪に幕が開ける——。

な-9-34　1931

バッカーノ！1932-Summer man in the killer

成田良悟
イラスト／エナミカツミ

ISBN978-4-04-870556-1

その夏、死を恐れる新聞記者は殺人鬼と出会い——死にたがりの少年は、不死者と出会った。NYの街を恐怖に陥れた『アイスピック・トンプソン』の真相とは——。

な-9-38　2138

バッカーノ！1711 Whitesmile

成田良悟
イラスト／エナミカツミ

ISBN978-4-04-886186-1

1711年。彼らはそれぞれの想いを抱え、海へ出る。『不死』への探求だけでなく、野心や責務、逃避など理由は様々だった。だが、失意の底にいたヒューイは——。

な-9-40　2244

バッカーノ！1935-A Deep Marble

成田良悟
イラスト／エナミカツミ

ISBN978-4-04-886893-8

ヒューイ・ラフォレットが脱獄し、NYに混乱が訪れる。カモッラ、マフィア、捜査局、企業、不良少年達の思惑が渦巻く馬鹿騒ぎ。その中心になる男とは——。

な-9-42　2404

電撃文庫

バッカーノ！1935-B Dr. Feelgreed

成田良悟
イラスト／エナミカツミ

ISBN978-4-04-891204-4

NYで荒くれ者達が蠢く一方、錬金術師達もそれぞれの思惑で動き始める。『葡萄酒《ヴィーノ》』という切り札《ジョーカー》を手にするのは誰か。そして、街を彷徨う詐欺師《ネイダー》が出会ったのは——。

な-9-43 2454

バッカーノ！1931-Winter the time of the oasis

成田良悟
イラスト／エナミカツミ

ISBN978-4-04-891431-4

最悪の事件を巻き込みNYへと走り続けるフライング・プッシーフット号。その裏で列車を待つ面々に起きていた知られざる騒乱の謎が、今明かされる——。

な-9-44 2505

バウワウ！ Two Dog Night

成田良悟
イラスト／ヤスダスズヒト

ISBN4-8402-2549-4

九龍城さながらの無法都市と化した人工島を訪れた二人の少年。彼らはその街で全く違う道を歩む。だがその姿は、鏡に映る己を吠える犬のようでもあった——。

な-9-5 0876

Mew Mew! Crazy Cat's Night

成田良悟
イラスト／ヤスダスズヒト

ISBN4-8402-2730-4

無法都市と化した人工島。そこに住む少女・潤《ジュン》はまるで〝猫〟だった。可愛らしくて、しなやかで、気まぐれで——そして全てを切り裂く〝爪〟を持っていて——。

な-9-9 0962

がるぐる！〈上〉 Dancing Beast Night

成田良悟
イラスト／ヤスダスズヒト

ISBN4-8402-3233-4

無法都市と化した人工島に虹色の髪の男が帰ってくる。そして始まる全ての人々を巻き込んだ殺人鬼の暴走劇。それはまるで島全体を揺るがす咆哮のような——。

な-9-16 1182

電撃文庫

がるぐる！〈下〉Dancing Beast Night

成田良悟
イラスト／ヤスダスズヒト

ISBN4-8402-3431-0

人工島を揺るがす爆炎が象徴するものは、美女と野獣（Girl & Ghoul）の結末か、戌と狗（Garuu VS Guruu）の結末か、それとも越佐大橋シリーズの閉幕か——。

な-9-17　1260

5《ゴ》6《ロ》5《ゴ》6《ロ》！Knights' Strange Night

成田良悟
イラスト／ヤスダスズヒト

ISBN978-4-04-867346-4

「片方が動けば片方も動く。そういうものなんだよ、あの二人は」戌井隼人と狗木誠一。二匹の犬はそれが運命だというように殺し合う。越佐大橋シリーズ外伝！

な-9-28　1680

ヴぁんぷ！

成田良悟
イラスト／エナミカツミ

ISBN4-8402-2688-1

ゲルハルト・フォン・バルシュタインは一風変わった子爵《ししゃく》であった。まず彼は〝吸血鬼〟であり、しかも〝紳士〟である。だが最も彼を際立たせていたもの、それは——。

な-9-8　0936

ヴぁんぷ！Ⅱ

成田良悟
イラスト／エナミカツミ

ISBN4-8402-3060-9

彼らの渾名はニーズホッグとフレースヴェルグ《死者の魂を喰らう者》。吸血鬼達から「魂喰らい」と恐れられる『食鬼人《イーター》』の目的は、バルンシュタインに復讐を果たすこと——。

な-9-13　1104

ヴぁんぷ！Ⅲ

成田良悟
イラスト／エナミカツミ

ISBN4-8402-3128-1

カルナル祭で賑わうグローワース島だが、食鬼人《イーター》や組織から送られた吸血鬼たちによる侵攻は確実に進んでいた。そして、吸血鬼が活発になる夜の帳が降りていき——。

な-9-14　1133

電撃文庫

ヴぁんぷ！Ⅳ
成田良悟
イラスト／エナミカツミ
ISBN978-4-04-867173-6

ドイツ南部で起きた謎の村人失踪事件。それを受けて吸血鬼の『組織』が動き出す。そしてミヒャエルは、フェレットのためにある決意を抱き、島を離れ――。

な-9-27 1632

ヴぁんぷ！Ⅴ
成田良悟
イラスト／エナミカツミ
ISBN978-4-04-868928-1

グローワース島で起きる連続殺人事件。『組織』や『血族』の影もちらつく中、小物市長は市民を、レリックはヒルダを、殺人鬼の手から守る事ができるのか――。

な-9-36 2022

世界の中心、針山さん
成田良悟
イラスト／ヤスダスズヒト&エナミカツミ
ISBN4-8402-3177-X

埼玉県所沢市を舞台に巻き起こる様々な出来事。それらの事件に必ず絡む一人の人物の名は――!? 人気イラストレーターコンビで贈る短編連作、文庫化決定！

な-9-15 1158

世界の中心、針山さん②
成田良悟
イラスト／エナミカツミ&ヤスダスズヒト
ISBN978-4-8402-3724-6

タクシーにまつわる都市伝説。強すぎて無敵な下級戦闘員の悲哀。殺し屋と死霊術師と呪術師の争い。埼玉県所沢市で起こった事件の中心に、いつも彼がいる――。

な-9-21 1391

世界の中心、針山さん③
成田良悟
イラスト／ヤスダスズヒト&エナミカツミ
ISBN978-4-04-868074-5

忍パンダとショーを繰り広げる忍かぐや姫。子供の頃からの夢を追い続ける工場長。そして、埼玉県所沢市を揺るがす新たな都市伝説――の中心にも、彼はいる。

な-9-32 1838

人気爆発の『デュラララ!!』のアニメ解説本がついに登場!!

『デュラララ!!』の美麗なイラストギャラリーやキャストインタビューも付いたキャラクターファイル、そして複雑なストーリーラインを監督やスタッフの狙う意図なども踏まえて紹介！　さらに成田良悟の書き下ろし短編や用語集などなど、作品の魅力が全て収録された超豪華仕様!!

デュラララ!!全テ

電撃文庫編集部　編

キャラクター紹介

キャラクターデザインを担う岸田隆宏のラフに加え、成田良悟による裏話も含めた各キャラの解説など、徹底的に各キャラの設定に迫ります。さらに、各キャストのキャラに対する思い入れをたっぷり盛り込んだグラビアインタビューも必見です！

ストーリーダイジェスト

それぞれの担当ナレーション視点から追った各話のダイジェストだけでなく、大森貴弘監督による解説や、各演出の方による制作秘話を絵コンテなども交えて紹介！　ここでしか聞けないような裏話などは公式本ならでは!!

池袋マップも充実

アニメの舞台として様々な箇所がリアルに描かれた池袋の街。ここでは、わかりやすい池袋の地図＋各場所の詳細をアニメの画像とともに探索できます。さらにアンダーグラウンドな危険な裏道なども……。

美麗イラストギャラリー

「電撃文庫MAGAZINE」をはじめ、アニメ各誌で発表された描き下ろしイラストをギャラリーとして楽しめます！

書き下ろし短編も収録

アニメ誌で描き下ろしたイラストにショートストーリーが付きました！　もちろん成田良悟の書き下ろし！　美麗なイラストの裏ではこんな事件があったのか……と、気になるショートストーリーが4編も収録!!

『デュラララ!!』の用語集

原作やアニメなどで登場したキーワードの解説に加え、全てのワードに成田良悟のコメントが付いたパーフェクト用語集がここに！　意味深なものから裏話、その時の感想などなど、様々なコメントは必見です。

B5判／176P

電撃の単行本

ヤスダスズヒト待望の初画集登場!!

イラストで綴る歪んだ愛の物語──。

ヤスダスズヒト画集
シューティングスター・ビバップ
Side:デュラララ!!

content

■『デュラララ!!』

大好評のシリーズを飾った美麗イラストを一挙掲載!!　歪んだ愛の物語を切り取った、至高のフォトグラフィー!!

■『越佐大橋シリーズ&世界の中心、針山さん』

同じく人気シリーズのイラストを紹介!!　戦う犬の物語&ちょっと不思議な世界のメモリアル。

■『Others』

『鬼神新選』などの電撃文庫イラストをはじめ、幻のコラムエッセイや海賊本、さらにアニメ・雑誌など各媒体にて掲載した、選りすぐりのイラストを掲載!!

著/ヤスダスズヒト　A4判/128ページ

画集

慧心女バスの魅力を全て詰めこんだ一冊が、ついに登場！
原作、アニメ、ゲーム、コミックの見所はもちろん、
様々な視点から小学生たちを丸裸に――!?
「びじゅあるロウきゅーぶ!特別編」、
「ぐらびあRO-KYU-BU!」や
スタッフインタビューなど、充実の内容でお届け!!
さらに、描き下ろしビジュアルノベル&コミックも掲載!
ファン必見の特集が満載の全て本、大好評発売中!!
RO-KYU-BU!
ロウきゅーぶ！のすべて!!
電撃文庫編集部 編
B5版／192ページ
電撃の単行本